Cherchons nos Ancêtres

Photo de la page couverture: Gérald Perreault, Alpha diffusion

Éditeurs:

QUÉBEC SCIENCE ÉDITEUR
C.P. 250, Sillery, Québec   G1T 2R1
FÉDÉRATION QUÉBÉCOISE DU LOISIR SCIENTIFIQUE
1415 est, rue Jarry, Montréal   H2E 2Z7

Dépôt légal

Bibliothèque nationale du Québec
Bibliothèque nationale du Canada
ISBN-2-920073-03-6

Michel Langlois

Cherchons nos Ancêtres

Collection « FAIRE »
sous la direction de Félix Maltais

Québec Science
Éditeur

Fédération québécoise
du loisir scientifique

Aux ancêtres, bâtisseurs du Québec

Les éditeurs et l'auteur remercient le Service des activités socio-culturelles du ministère du Loisir, de la Chasse et de la Pêche pour l'aide accordée à la publication de cet ouvrage.

TABLE

PRÉFACE

Certaines personnes croient encore que la recherche généalogique n'est qu'un passe-temps de maniaques ou de retraités, ou encore de chercheurs d'un héritage conjectural. Laissons-les à leur candide ignorance.

Car de plus en plus la généalogie, chez nous et ailleurs, prend place au côté de la science de l'histoire. Elle seconde celle-ci avec une efficacité précieuse et lui est même devenue indispensable. Ce qui fait que la généalogie est elle-même devenue une science, une science qui s'affirme sans cesse. Et c'est tant mieux.

Plus de 15 000 fervents s'y adonnent au Québec, au moins autant dans les autres provinces et davantage aux États-Unis. Les historiens s'inspirent constamment et avec profit de leurs travaux. Ils l'admettent d'ailleurs volontiers.

De nombreux généalogistes amateurs mais consciencieux sont portés à se décourager parfois — et même souvent — lorsqu'ils se heurtent à un problème apparemment insoluble et dont la connaissance serait indispensable à la poursuite de leur travail. Doivent-ils abandonner ? S'ils se découragent, ils y penseront quand même jour et nuit.

Le présent ouvrage offre une lueur d'espoir, et peut-être la lumière, à leur inquiétude ; un palliatif, et souvent un terme, à leur insomnie.

Serait-ce le seul mérite de ce traité de généalogie qu'il faudrait déjà en remercier l'auteur. Mais il en contient bien d'autres, car Michel Langlois trace un historique complet et intelligemment conçu de ce domaine qui embrasse toute la vie du peuple québécois. Il note justement dès la première page que « La généalogie est plus ancienne que l'histoire. »

Chez nous, elle commence en effet dès l'arrivée des premiers colons, artisans et soldats, qui sont nos ancêtres. Des descendants de ces premières familles veulent connaître leur endroit d'origine de même que la vie de toutes les générations suivantes jusqu'à nos jours. Comment procéder ? Cet ouvrage nous l'enseigne en termes clairs, précis, détaillés, où rien ne manque pour faciliter la tâche et la mener à bonne fin... quand c'est possible.

Si, après l'avoir lu consciencieusement, on ne peut trouver la solution au problème qui nous tracasse, c'est que la clef a été perdue ou n'a jamais existé. Car il ouvre la voie à toutes les avenues dans le vaste champ de la documentation, et la possibilité de résoudre les énigmes apparemment les plus compliquées.

Ce traité, de l'avis même de l'auteur s'adresse avant tout aux débutants, aux profanes à qui manquent certaines façons de procéder. Mais les généalogistes d'expérience et les historiens eux-mêmes y trouveront leur profit et apprécieront certainement la valeur technique et la clarté du style, qui le rend d'une lecture à la fois instructive et captivante.

Raymond Douville,
Ancien Secrétaire de la Province
Ancien Conservateur des Archives nationales

INTRODUCTION

C'est un désir bien légitime qui nous pousse tous, un jour ou l'autre, à en connaître plus long sur ceux dont nous descendons. Ce désir s'inscrit au plus profond du cœur de l'homme, car avant même d'écrire son histoire, il dressait sa généalogie. C'est ainsi que l'on peut affirmer que la généalogie est plus ancienne que l'histoire. Avant même d'écrire, les hommes primitifs connaissaient, par tradition orale, les anciens qui leur avaient donné la vie et leur avaient montré à se défendre contre les bêtes, à se nourrir par la chasse, à se chauffer et s'éclairer par le feu.

Aussi loin que l'on remonte dans le temps, on retrouve donc des généalogies. La généalogie et la parenté des chefs de clans étaient connues de tous. Certaines inscriptions dans la pierre nous ont permis de conserver les généalogies des grands des millénaires passés.

Avec l'apparition des manuscrits, certains peuples ont conservé des généalogies de leurs rois ou de personnages illustres. À l'aide de renseignements de ce genre, on a pu dresser des tableaux généalogiques de la dynastie des Lagides et des Séleucides qui ont régné jadis sur l'Egypte.

C'est toutefois la Bible qui nous donne, avec le premier livre des Chroniques, les généalogies les plus intéressantes. On y énumère par exemple la généalogie ascendante de Jacob ou Israël à partir de son ancêtre Adam. On indique également la généalogie descendante des fils de Jacob qui donnèrent naissance à plusieurs peuples. À partir de ces listes, on a pu dresser des tableaux donnant les noms des successeurs de Salomon. On dit de Jessé qu'il fut le père d'un nombreux peuple et on parle du « rameau qui sortira de la tige de Jessé » (I ch. 11, 1). Cette expression donna lieu, à partir du 12e siècle, à des représentations de Jessé comme la base d'un arbre à plusieurs tiges. C'est l'origine de nos arbres généalogiques.

En Europe, à partir du Moyen Âge surtout, on établissait la généalogie des rois et des nobles. Par la suite, chacun cherchait à retrouver parmi ses ancêtres un comte, un baron ou un seigneur quelconque pour se glorifier d'être descendant de nobles. Cette pratique donna lieu à des entorses extraordinaires à la vérité historique. Et quand, par malheur, on ne parvenait pas à trouver d'hommes célèbres parmi ses ancêtres, ou qu'on était soi-même de la noblesse, on se tournait vers la Bible afin d'y retrouver un ancêtre. Ainsi cette famille italienne du nom d'Adamoli qui se disait directement issue d'Adam et qui fit dresser le blason qui convenait à un tel rang, où figuraient, bien sûr, pomme et serpent !

Cette pratique de généalogie biblique donna lieu à des anecdotes savoureuses. On raconte que deux gentils-hommes, le duc Lévis de Ventadour et le marquis de Pons, se promenaient un jour dans les couloirs du palais de Versailles. Les Lévis de Ventadour prétendaient descendre de la tribu de Lévis qui donna naissance au Christ, tandis que le marquis de Pons se disait issu de Ponce Pilate. Dans leur promenade, les deux hommes passent devant un portrait du Christ. Le duc Lévis de Ventadour se tourne alors vers le marquis de Pons et lui dit : « Monsieur, regardez ce que votre parent a fait du mien. »

La généalogie, malgré ces exagérations, n'a jamais cessé de progresser comme science jusqu'à nos jours. Dans tous les pays, des personnes s'intéressent à leur passé. Comme nous pouvons le constater, bien d'autres avant nous, et comme nous, ont ressenti ce besoin profond de connaître les anciens qui leur ont transmis le bien le plus précieux, la vie.

1.
DÉFINITION
DE LA GÉNÉALOGIE

Quand on évoque le terme généalogie pour la première fois en présence de certaines personnes, on se rend aussitôt compte qu'il ne leur dit rien. Mais si on spécifie en parlant d'arbre généalogique, aussitôt le déclic se fait et, ordinairement, nos interlocuteurs nous disent: «La généalogie, d'après moi, c'est la recherche des ancêtres.» La définition qu'ils nous donnent spontanément se rapproche beaucoup de celle que l'on pourrait qualifier d'officielle ou scientifique.

La généalogie est en effet la science qui étudie la naissance. Le mot généalogie vient des termes grecs *genos* et *logos* qui signifient *naissance* et *discours*. On sait que par extension le mot *logos* signifie *science*. Le mot généalogie signifie donc *science de la naissance*. En précisant davantage, on dira de la généalogie qu'elle est la science qui a pour objet la recherche de l'origine et de la filiation des familles et des individus.

Cette science, suivant l'objet ou le but poursuivi dans la recherche, est théorique, historique ou pratique.

On entend par *généalogie théorique* celle qui s'occupe de préciser les principes de base, les méthodes de recherche et les sources. Elle se divise en généalogie ascendante et généalogie descendante.

On fait de la *généalogie historique* quand on rassemble tous les éléments ou résultats obtenus par des recherches généalogiques et qu'on les présente dans un ordre chronologique ou d'interdépendance des personnes.

Enfin, l'application des découvertes faites à l'occasion de recherches généalogiques devient de la *généalogie pratique*.

GÉNÉALOGIE THÉORIQUE

Avant toute recherche, il nous faut déterminer quel genre de généalogie nous désirons faire. Ainsi, quand un individu retrace ses ancêtres en partant de lui-même et en remontant dans le temps, il fait de la généalogie *ascendante*. C'est la généalogie de fils en père. Si, par la suite, il tente de trouver les descendants d'un ancêtre commun, il fait de la généalogie *descendante*.

Dans l'ordre habituel des choses, il est évident que la plupart des débutants font d'abord et avant tout de la généalogie ascendante. Il n'y a rien de plus légitime. On a tous hâte, à nos débuts en généalogie, de trouver de qui on descend. Voilà pourquoi on procède à une recherche de nos ancêtres en remontant de notre père à notre grand-père, de ce dernier à notre arrière-grand-père et ainsi de suite, en allant le plus loin possible dans les années et les siècles passés. Ce procédé s'appelle une généalogie *ascendante en ligne directe*. Elle permet de retracer un ancêtre unique de notre lignée directe paternelle ou maternelle selon le cas. C'est une première façon de partir à la recherche de ses ancêtres et c'est la plus logique et la plus rapide pour un début.

Quand, satisfait d'avoir retracé sa lignée directe, un individu veut en connaître davantage sur ses ancêtres, il étend ordinairement son investigation jusqu'à rechercher tous ses ancêtres. Partant de son père pour la lignée paternelle et de sa mère pour la lignée maternelle et remontant à ses grands-parents, il cherche ensuite les parents de ces derniers, puis les parents de ceux-là, et continue ainsi aussi loin qu'il le peut. Quand un généalogiste procède de cette façon, il fait de la généalogie *ascendante en ligne collatérale*. Cette façon de procéder est mieux connue sous l'appellation d'*arbre généalogique*, car les résultats d'une telle recherche permettent de dresser un arbre ou un tableau généalogique.

Après avoir complété ses recherches en ce sens, une personne devient habituellement mordue de généalogie. Dès lors, elle se lance ordinairement et parfois témérairement dans une entreprise de grande envergure, celle de rechercher tous les descendants de son ancêtre le plus éloigné. Elle compile alors les noms de toutes les personnes issues de cet ancêtre. De jour en jour, sa documentation augmente et, après des années de recherche, elle peut même se permettre de publier un volume s'intitulant : *Dictionnaire généalogique de la famille X*. On trouve habituellement dans un volume de ce genre, à la première génération, l'ancêtre commun. Les enfants de ce dernier constituent la deuxième génération. Les enfants des précédents forment la troisième génération et ainsi de suite jusqu'aux générations actuelles. Des ouvrages de ce type regroupent des centaines, sinon des milliers de familles d'un ancêtre commun. Il arrive souvent que celles-ci ne portent pas toutes aujourd'hui le nom de l'ancêtre. C'est le cas, par exemple, des descendants de Noël Langlois : les familles Traversy d'Amérique du Nord sont issues de ce dernier.

GÉNÉALOGIE HISTORIQUE

La généalogie historique devient presque automatiquement le but ultime poursuivi par la plupart des chercheurs en généalogie. Cette sorte de généalogie apparaît de façon sous-jacente à toute recherche en ce domaine. Si on fait de la généalogie, c'est précisément dans ce but, celui de parvenir à faire parler le passé, à faire revivre les ancêtres dans leur cadre de vie, leur contexte social, etc.

Malheureusement, trop de « généalogistes » s'arrêtent en route et s'adonnent presque exclusivement à la compilation de noms et de dates qu'ils puisent trop souvent uniquement dans les sources imprimées. Le généalogiste digne de ce nom se double d'un historien, en ce sens qu'il resitue les gens et les événements dans leur contexte historique et leur redonne vie. En ce sens le généalogiste historien devient un créateur ou un recréateur. Il écrit l'histoire des ancêtres. Il fait de la généalogie historique. C'est le but que devrait poursuivre toute personne qui se lance en généalogie.

GÉNÉALOGIE PRATIQUE

La généalogie pratique est en somme la généalogie considérée dans son apport aux autres sciences. On sait en effet que la généalogie peut être très utile à la médecine, à la démographie, à la sociologie, à l'anthropologie, à l'histoire, etc.

La biologie et la médecine se servent souvent de la généalogie pour dépister l'origine de maladies héréditaires dans certaines familles. Partant du principe que nous ne sommes pas parents avec tous nos ancêtres, une recherche bien effectuée peut permettre de repérer celui de nos ancêtres qui était porteur d'une maladie et l'a transmise à ses descendants.

Laissons Jacques Rousseau, auteur de *L'hérédité et l'homme*, nous expliquer pourquoi nous ne sommes pas parents avec tous nos ancêtres. « La parenté biologique, écrit-il, vient du stock héréditaire transmis à la naissance par les chromosomes. L'homme en possède 48 et chacun de ses parents en a contribué la moitié. Or, au niveau de la septième génération, chaque personne compte 64 ancêtres. C'est-à-dire que 16 de ceux-ci n'ont transmis, à un descendant donné, aucun chromosome, et partant aucun bagage héréditaire[1]. »

Dans le cas d'une maladie héréditaire, un généalogiste peut, au prix d'un travail précis et méthodique, parvenir à déterminer, par comparaison entre plusieurs familles

---

1. ROUSSEAU, Jacques, *L'hérédité et l'homme*. Ed. de l'Arbre, 1945, p. 73.

souffrant de la même maladie héréditaire, quels sont parmi les ancêtres ceux et celles qui ont légué cette maladie.

Ainsi, des médecins montréalais découvraient récemment que, dans la région de Baie-Saint-Paul, plusieurs membres de familles ayant des ancêtres communs souffraient d'une maladie héréditaire grave. Une étude généalogique approfondie pourra sans doute, dans un avenir rapproché, dépister parmi les descendants ceux qui sont susceptibles de transmettre cette maladie qu'on sera par conséquent en mesure de prévenir. Voilà comment la généalogie peut devenir une auxiliaire précieuse des médecins. Déjà, d'ailleurs, on a recours à ses services dans les cas de maladies héréditaires mentales, tout comme dans ceux d'hérédité alcoolique, diabétique, etc. Mais la généalogie peut également expliquer, outre ces problèmes d'hérédités pathologiques, des problèmes d'hérédité générale tels que la couleur des cheveux, la forme du visage, du nez, la grandeur ou la petitesse physique, les dons et prédispositions naturels, la longévité dans certaines familles, etc. Dès lors, on mesure à quelles recherches passionnantes pourrait se livrer un généalogiste qui s'intéresserait à ces questions.

Peut-être pourrait-on ainsi expliquer pourquoi les individus de certaines familles sont de petite ou de grande taille. Il y aurait sûrement des chances de découvrir que les descendants de François Miville sont de courte taille, car ce dernier ne mesurait que quatre pieds et neuf pouces!

La généalogie et les sciences connexes

Pour illustrer l'interrelation de la généalogie avec d'autres sciences, prenons pour exemple un fait divers relatant des excommunications qui eurent lieu à Saint-Michel-de-Bellechasse en 1775. Au siècle dernier en particulier, les événements qui aboutirent à ces excommunications furent longuement relatés dans les journaux. D'ailleurs, Charles-Aubert de Gaspé y fait allusion dans ses *Anciens Canadiens*, et le poète

Louis Fréchette a consacré quelques strophes à ces malheureux dans sa *Légende d'un peuple.*

Résumons brièvement les faits. On sait toutes les souffrances qu'eurent à endurer les gens de la rive sud du Saint-Laurent avant la prise de Québec par les Anglais en 1759. Plusieurs habitants de Saint-Michel gardèrent un vif ressentiment contre les Anglais suite à tous ces méfaits. Or le curé du lieu, lors d'un office religieux, eut le malheur de prêcher trop vivement la soumission aux autorités anglaises. Un nommé Cadrin, habitant de Saint-Michel, se leva dans l'église et dit au curé : « C'est assez longtemps prêcher sur les Anglais. » La scène se passait en 1775. Cette intervention fit scandale et on demanda à Cadrin de se rétracter publiquement ainsi qu'à ceux des habitants qui l'appuyèrent. Quatre d'entre eux avec l'auteur de cette riposte ne voulurent point se plier aux exigences du curé Lagroix, si bien que Monseigneur Briand, alors évêque de Québec, les excommunia.

Ces cinq incompris, à leur décès, furent enterrés à six mètres du chemin royal sur la terre qui appartenait à Cadrin. Cela donna lieu par la suite à plusieurs légendes, certains habitants ayant juré avoir vu l'un ou l'autre de ces excommuniés leur apparaître à la faveur de la « brunante »... Quand la terre de Cadrin devint la propriété de François et Joseph Pouliot, ils demandèrent qu'on exhume les corps pour les enterrer au cimetière paroissial dans la partie réservée aux enfants morts sans baptême[2].

Maintenant que nous connaissons les faits, supposons qu'un journaliste veuille aujourd'hui écrire un article sur le sujet. Il pourrait le titrer ainsi : « En 1775, cinq excommuniés à Saint-Michel-de-Bellechasse », et raconter les faits à sa façon. Quelle sera la réaction des historiens, archivistes, archéologues, démographes, ethnologues et folkloristes à la lecture de cet article ?

---

2. Pour en connaître plus long sur le sujet, on peut consulter les journaux de l'époque.

L'historien voudra aussitôt en savoir plus long sur le sujet et ira immédiatement aux sources. *L'archiviste*, sachant qu'un article comme celui-là suscitera plusieurs démarches de la part des chercheurs, ira aussitôt fouiller dans ses inventaires et index pour être en mesure de répondre aux clients éventuels. *L'archéologue*, sans doute, fera des démarches pour faire exhumer les corps et en connaître plus long sur ces individus. *Le démographe* sera tout heureux d'ajouter à ses statistiques cinq excommuniés de plus au Québec, au 18e siècle. *L'ethnologue* s'intéressera peut-être aux métiers de ces gens et à leur façon de vivre. *Le folkloriste* voudra en connaître davantage au sujet des légendes nées à la suite de ces excommunications.

Tous en somme désireront, chacun selon sa compétence, en savoir plus long sur le sujet et, s'ils ne s'adressent pas aux généalogistes pour leur venir en aide, devront quand même faire un peu de généalogie pour parvenir à leurs fins.

Le généalogiste en tout cela sera celui qui immédiatement pourra leur fournir une foule de renseignements intéressants. C'est lui en effet qui, dans ses fiches, conserve les principaux éléments qui concernent chacune de ces personnes. Il pourra ainsi fournir les renseignements suivants : le nom de leurs parents, de leurs frères et sœurs, les dates de leurs naissance, mariage et sépulture, les noms de leurs enfants, les déplacements de ces derniers consécutifs à ces excommunications, etc. En somme, le généalogiste arrivera avec des dates précises et pourra situer l'action dans le temps et le contexte de l'époque. Cet exemple, quoique très simplifié, démontre bien l'apport de la généalogie et sa très grande utilité face aux autres sciences.

Si nous terminions ici ce chapitre, nous n'aurions pas bien rempli notre rôle de généalogiste. Aussi, pour mener à bon terme notre enquête, nous dirons que les excommuniés de Saint-Michel-de-Bellechasse s'appelaient :

Jean-Baptiste Racine, fils de Claude Racine et Geneviève Gagnon, baptisé à Sainte-Anne le 20 février 1721 et inhumé à Saint-Michel-de-Bellechasse en 1788 ; il avait épousé à

Saint-Vallier, le 31 janvier 1746, Marguerite Denis, fille de Charles Denis et de Marie-Madeleine Pichet;

Laurent Racine, fils des précédents, baptisé le 21 mai 1757 à Saint-Michel-de-Bellechasse et inhumé au même endroit en avril 1784;

Marguerite Racine, cousine germaine de Laurent, fille de Jean-Baptiste Racine et de Marie-Anne Bolduc, baptisée le 6 septembre 1756 à Saint-Michel-de-Bellechasse et inhumée au même endroit en avril 1784;

Pierre Cadrin, fils de Nicolas Cadrin et de Françoise DeLaunay, baptisé à Sainte-Famille, île d'Orléans, le 6 février 1701 et inhumé à Saint-Michel-de-Bellechasse en 1786; il avait épousé à Saint-Vallier, le 26 juin 1727, Marie-Joseph-Marthe Marceau, fille de Jacques Marceau et d'Élisabeth Jinchereau;

Félicité Doré, fille de Louis Doré et de Marie-Charlotte Gingras, baptisée à Saint-Augustin le 22 décembre 1734 et inhumée à Saint-Michel en juillet 1784; elle avait épousé Charles Dubord le 17 février 1767 (contrat Panet).

2.
HISTOIRE DE LA GÉNÉALOGIE QUÉBÉCOISE

La généalogie au Québec telle que nous la connaissons est un phénomène relativement récent. Si on jette un coup d'œil sur le passé, on constate que, comme en France, les toutes premières généalogies concernant des gens d'ici furent dressées par des notaires à la demande de certaines familles en vue d'établir la liste des héritiers d'une succession.

GÉNÉALOGIE RELATIVE À DES SUCCESSIONS

Pour déterminer les héritiers d'un individu mort sans laisser de testament, on eut recours dans le passé aux notaires. Quelques généalogies de ce genre ont pu être conservées.

Citons d'abord une généalogie dressée par le notaire Dumas le 15 avril 1791, pour établir les héritiers ayant droit au partage des seigneuries de Rimouski, Grand Métis et Lamolaie. Il s'agit de la généalogie des descendants de feu sieur René Le Page et de feue dame Marie Magdelaine Gagnon. Pour justifier qui sont les héritiers de ces personnes, le notaire cite tous les titres de concessions, ventes et partages des terres ainsi que les noms des enfants de chaque héritier de cette famille. On en vient ainsi à nommer les enfants, les petits-enfants, les petits-petits-enfants, en notant ce qu'est devenu chacun d'eux et en quoi il a droit à l'héritage. Cette généalogie couvre 33 pages grand format et devient une mine de renseignements pour les descendants de cette famille.

D'autres généalogies de ce genre existent. Mentionnons celle des héritiers collatéraux de feu Joseph-Marie Tellier, baptisé à Cap-Santé le 30 avril 1719, fils de François Tellier et de Marie-Anne Pagé. Cette généalogie eut pour auteur maître Panet, avocat et notaire de Québec, à l'occasion d'une transaction entre: Nicolas Petit, époux de Josette Tellier; Thomas Bertrand, fils de feu Jean-Baptiste Bertrand et de feue Marie-Joseph Tellier; Antoine Collet, époux de Marie-Louise Paris, fille de feu Pierre Paris et de Marie-Jeanne Tellier; et Joseph Paris et Thomas Delisle, tous héritiers de feu Joseph Tellier. On retrouve tous les papiers de cette succession dans le greffe du notaire Planté, de Québec.

La lecture de ces documents nous en apprend beaucoup sur cette famille à partir de l'ancêtre marié à Neuville en 1692 jusqu'à ce Joseph Tellier qui « *était âgé d'environ trente ans lorsqu'au printemps de l'année mil sept cent quarante-huit étant garçon il partit du Cap Santé pour aller aux Illinois traitter des marchandises pour des pelteries... qu'a la connaissance de tous les comparants il n'a pas été revu depuis en Canada...Qu'ils ne lui connaissent aucune femme ou veuve ni enfant; qu'ils ont appris par commune renommée que ledit Joseph Tellier était mort aux Illinois vers l'année mil sept cent quatre vingt cinq...* » Le texte continue ainsi en mentionnant et analysant chaque acte notarié concernant cette famille entre 1692 et 1785. C'est une généalogie d'un très vif intérêt pour les descendants; elle couvre 23 pages.

Enfin, mentionnons une autre généalogie du même genre, celle des héritiers collatéraux des sieurs Charles et Louis Gosselin, fils de Louis Gosselin et Marguerite du Roy. On la retrouve au greffe du notaire Planté, de Québec, en date du 3 novembre 1792. Elle fut dressée par Antoine Panet, avocat. Cette généalogie et cette succession couvrent 22 pages.

À part ces généalogies dressées dans un but aussi précis qu'un héritage, on ne trouve pas d'autres généalogies ici avant la première publication généalogique parue au Québec en 1867.

LES DÉBUTS DE LA GÉNÉALOGIE SCIENTIFIQUE AU QUÉBEC

Il y a donc un peu plus de cent ans, la généalogie en tant que science débutait au Québec avec la parution d'un premier volume dû à la plume du sulpicien François Daniel (1820–1908) et intitulé : *Histoire des grandes familles françaises au Canada.*

Le titre de cet ouvrage est bien représentatif de ce qui se faisait à l'époque en France. Le sulpicien Daniel venait d'ailleurs de ce pays. La généalogie outre-Atlantique se préoccupait d'abord et avant tout des familles nobles. Le volume de François Daniel porte précisément sur les grandes familles françaises au Canada. Cet ouvrage donna en quelque sorte satisfaction au très petit nombre de descendants de familles nobles au Canada français. Les généalogies qui paraîtront par la suite, si on excepte celles faites par Pierre-Georges Roy, regarderont davantage toutes les familles d'origine française, peu importe leurs titres.

La fin du 19e siècle verra plusieurs chercheurs et historiens s'intéresser à la généalogie. Ces derniers donneront aux Canadiens français et Québécois les œuvres de base qui feront de la généalogie chez nous ce qu'elle est aujourd'hui. Citons-en rapidement quelques-uns. Tout d'abord mentionnons Jacques Viger (1787–1858). Quoique disparu au milieu du siècle dernier, Viger influença sûrement par son œuvre les chercheurs de l'époque. Même s'il était davantage historien que généalogiste, le fondateur de la Société historique de Montréal a laissé une œuvre considérable dont les généalogistes contemporains gagneraient à se servir davantage. Son œuvre, qui comprend des notes diverses pour servir à l'histoire, des manuscrits, des actes

(Archives nationales du Québec, collection Initiale).

François Daniel (1820-1908)
Auteur du premier volume généalogique au Québec, *Histoire des*
grandes familles françaises au Canada.

officiels, des récits de tous genres, des cartes, des plans, des mémoires, des lettres, porte le nom de *Ma Saberdache* et on la retrouve aux archives du Séminaire de Québec.

Un autre chercheur qu'on se doit de mentionner pour ses travaux historiques est l'abbé Hospice Verreault (1828–1901). «Fouilleur passionné des documents historiques», nous dit le Père Le Jeune[1], il publia d'abord en deux volumes l'*Invasion du Canada en 1775*, comprenant le *Journal de Sanguinet*, le *Mémoire de Badeau*, celui de *Berthelot* et *Mes souvenirs de Lorimier 1870–73*. Sans être des travaux à proprement parler généalogiques, ces publications, par leur contenu, aidèrent les généalogistes du temps et méritent qu'on les signale.

Contemporain de l'abbé Verreault, un autre ecclésiastique que l'on pourrait surnommer le père de la généalogie au Canada français, l'abbé Cyprien Tanguay (1819–1902), publia entre 1871 et 1890 les sept tomes du *Dictionnaire généalogique des familles canadiennes*. C'est encore de nos jours la bible des généalogistes québécois. Sans cette œuvre remarquable, la généalogie chez nous n'aurait jamais atteint aussi rapidement l'ampleur qu'on lui connaît. Malgré les lacunes de son œuvre, Monseigneur Tanguay s'avère véritablement le pionnier de la généalogie chez nous.

Nous citerons encore quatre autres chercheurs d'envergure que nous pouvons qualifier d'abord d'historiens, mais dont l'apport à la généalogie mérite d'être mentionné. Ce sont : Benjamin Sulte (1841–1923) et, plus près de nous, Pierre-Georges Roy (1870–1953), Édouard-Zotique Massicotte (1867–1948) et Gérard Malchelosse (1896–1969). Ces quatre historiens nous ont laissé des ouvrages que nous sommes constamment appelés à consulter.

Sulte s'est particulièrement intéressé à l'origine des ancêtres et a laissé, en plus de ce qu'il a publié dans son

---

1. Le Jeune, *Dictionnaire général du Canada*, Tome II, p. 779.

(Archives nationales du Québec, collection Initiale).

Monseigneur Cyprien Tanguay (1819-1902)
Auteur du *Dictionnaire généalogique des familles canadiennes.*

Histoire des Canadiens français en six volumes, un ouvrage inédit sur ce sujet ; Malchelosse l'a analysé dans un numéro des *Cahiers des Dix*. (Vol. 13, p. 269–298).

Pierre-Georges Roy, fondateur du *Bulletin des recherches historiques* et premier conservateur des Archives du Québec, nous a laissé une œuvre généalogique considérable par ses études des familles nobles et bourgeoises de Nouvelle-France. Ses notes innombrables sont conservées aux Archives nationales à Québec.

Édouard-Zotique Massicotte, archiviste et historien de la petite histoire de Montréal, a publié de nombreux articles aussi intéressants les uns que les autres au sujet des habitants de Montréal sous le régime français. C'est un historien et généalogiste dont il faut consulter les travaux continuellement.

Enfin, Gérard Malchelosse, l'auteur de plusieurs études historiques parues dans les *Cahiers des Dix*, a écrit en particulier un article des plus intéressants sur la généalogie et les généalogistes au Canada français[2].

Les historiens dont nous venons de parler ont surtout aidé les généalogistes par leurs œuvres qui servent encore souvent à ces derniers. Mais le début du siècle a vu un mouvement irréversible vers ce que nous appelons aujourd'hui la généalogie contemporaine. Nous allons faire connaissance avec ceux qui, les tout premiers, ont contribué par leurs travaux de compilateurs à ancrer pour de bon la généalogie chez nous. On trouvera l'énumération de leurs travaux dans les notes bibliographiques à la fin de cet ouvrage. Citons François Lesieur Desaulniers et Raymond Masson, ainsi que les abbés Michel Forgues, Charles Beaumont, David Gosselin, Adolphe Michaud, G.-A. de Jordy et C.A. Carbonneau. Tous ces auteurs ont produit des dictionnaires généalogiques des familles de diverses régions du Québec, de Yamachiche à Rimouski, en passant par la Beauce, l'île d'Orléans et la côte de Beaupré.

---

2. On trouvera la référence à ces œuvres dans la bibliographie.

(Archives nationales du Québec, collection Initiale).

Pierre-Georges Roy (1870-1953)
Archiviste, historien et généalogiste, curateur du Musée de Québec (1919-1941).

(Archives des Franciscains, Montréal).

Archange Godbout, franciscain (1836-1960)
Fondateur de la Société généalogique canadienne-française.
Généalogiste émérite, auteur d'un nombre considérable de volumes et articles généalogiques.

LA GÉNÉALOGIE CONTEMPORAINE

Tous ces historiens, généalogistes et compilateurs ont ouvert la voie à celui que nous pouvons considérer comme le fondateur de la généalogie contemporaine au Québec, le franciscain Archange Godbout (1886–1960). Ce dernier a fait œuvre considérable en ce domaine par ses travaux, tant au Canada qu'en France, et également en tant que fondateur de la Société généalogique canadienne-française de Montréal. La fondation de cette société a suscité la naissance de diverses sociétés du même genre au Québec, dont celles de Québec, Sherbrooke, Trois-Rivières et Ottawa-Hull.

Ces sociétés ont œuvré si bien en généalogie qu'elles furent à l'origine de la publication de nombreux répertoires de mariages indispensables à ceux qui veulent aujourd'hui dresser rapidement leur lignée ancestrale[3]. Plusieurs de leurs membres mériteraient, par leurs compilations nombreuses, une citation particulière. Cependant, nous n'en nommerons qu'un seul, le frère Éloi-Gérard Talbot, décédé en 1976, qui eut le mérite de faire le relevé de tous les mariages célébrés dans les comtés de Charlevoix, Beauce, Dorchester, Frontenac, Bellechasse, Montmagny et l'Islet.

Quand aux autres compilateurs et généalogistes contemporains, qu'ils nous pardonnent de ne pas les mentionner dans ces lignes. Il y aurait risque d'attenter à leur modestie en les citant ou à leur orgueil en les oubliant! Nous savons cependant que l'histoire se chargera de leur rendre justice.

3. Voir l'énumération des éditeurs de répertoires de mariages en annexe.

3.
LES MÉTHODES
DE RECHERCHE

Dans les lignes qui vont suivre, nous allons faire porter notre attention sur la façon de réaliser des généalogies. Ce chapitre s'avère donc d'une importance capitale, car il touche les démarches que sont appelés à réaliser tous ceux qui désirent connaître leurs ancêtres.

Par méthodes de recherche, il faut entendre la marche à suivre pour réaliser des généalogies *ascendantes* et *descendantes*. Mais selon que l'on veuille réaliser une généalogie ascendante en ligne directe ou en ligne collatérale, ou une généalogie descendante, les méthodes de recherche varieront. Aussi, avant de se lancer, faut-il déterminer quelle sorte de généalogie on veut faire.

GÉNÉALOGIE ASCENDANTE
EN LIGNE DIRECTE

Toute personne qui se lance en généalogie a pour but premier d'établir sa lignée directe ascendante. On a tous hâte, nous du Québec, quand on commence à faire de la généalogie, de connaître le nom et le lieu d'origine de notre premier ancêtre arrivé en Nouvelle-France.

Comment procéder pour y parvenir? C'est la première question qu'on se pose. La réponse est très simple car faire de la généalogie, au Québec, ce n'est rien de très compliqué.

La première démarche pour réaliser sa lignée directe, c'est de s'enquérir auprès des personnes plus âgées de sa famille des dates de naissance, mariage et sépulture de ceux qui nous ont précédés. À partir de ces renseignements, nous sommes en mesure d'amorcer notre ascendance en ligne directe.

On commence donc par dresser sa propre fiche généalogique, puis celle de ses parents et grands-parents. Si on désire faire son ascendance paternelle, on ne se préoccupe que de ses grands-parents paternels.

Habituellement, on n'a pas de difficultés trop grandes à dresser ces fiches (voir modèles au chapitre suivant). On apprend par nos parents et grands-parents le nom de leurs père et mère. Il en va de même pour la fiche des grands-parents, qui nous apprennent le nom de leurs parents et même de leurs grands-parents, ce qui nous permet de réaliser la fiche de nos arrière-grands-parents et arrière-arrière-grands-parents.

Mais si on connaît leur nom, on ne peut ordinairement aller plus loin faute de savoir quand ils se sont mariés. La généalogie au Québec est fondée sur les mariages. C'est en lisant l'acte de mariage de nos grands-parents, par exemple, que nous apprenons le nom de leurs parents. En lisant l'acte de mariage de nos arrière-grands-parents, nous apprenons le nom de leurs parents (qui sont nos arrière-arrière-grands-parents) et ainsi de suite. C'est exactement de cette façon que l'on doit procéder pour réaliser une lignée ancestrale.

Quand donc on connaît le nom de nos arrière-grands-parents paternels, par exemple, il nous faut réussir à retracer leur mariage pour connaître celui de leurs parents à eux. Comment procéder ? On sait habituellement dans quelle région ils ont vécu. Il faut donc chercher l'acte de leur mariage à la paroisse en question. Comme nous avons la chance, au Québec, de posséder les répertoires de mariages de la plupart des paroisses, notre recherche est relativement facile. Les généalogistes se sont en effet rapidement rendu compte de l'avantage qu'il y aurait de répertorier tous les mariages célébrés au Québec. Ils se sont donc attaqués à la tâche de publier de tels répertoires, en commençant par les paroisses les plus anciennes. Ainsi, en une vingtaine d'années à peine, ils ont réalisé la compilation de presque tous les mariages célébrés dans les paroisses du Québec.

Dès lors, quand on veut dresser une ligne ancestrale ou généalogie ascendante en ligne directe, on n'a qu'à consulter ces répertoires, ce qui sauve un temps énorme. De plus, quand on parvient à remonter jusque vers 1760, on n'a plus qu'à utiliser le *Dictionnaire Tanguay* pour remonter jusqu'à l'ancêtre.

Utilisons un exemple concret pour illustrer notre propos. Supposons que je ne connais rien en généalogie et que je désire savoir de qui je suis issu. Comment vais-je m'y prendre? Tout d'abord, j'ai la bonne fortune de connaître un généalogiste qui me conseille de commencer par obtenir le plus de renseignements possible des plus vieilles personnes de ma famille. En bon généalogiste débutant, je mets aussitôt en pratique ce conseil et comme un de mes oncles vit encore, je m'empresse d'aller le trouver.

Mon oncle, tout heureux de pouvoir m'aider dans mes recherches, sort un vieil album de photos et c'est ainsi qu'en sa compagnie je plonge dans le passé de ma famille. J'apprends que mon grand-père Delphis Langlois a épousé grand-maman à la paroisse Saint-Jean-Baptiste de Québec le 26 septembre 1887. Le père de mon grand-père, donc mon arrière-grand-père, s'appelait Antoine, et son épouse, Joséphine Bédard. Mon oncle croit qu'ils se sont mariés eux aussi à l'église Saint-Jean-Baptiste, mais il ne peut me dire la date de leur mariage. S'il a bonne mémoire, le père d'Antoine s'appelait Jean-Baptiste et l'épouse de ce dernier était une Gagné.

Que vais-je faire maintenant que je possède tous ces renseignements? On m'a parlé des Archives nationales. Je m'y rends avec mes précieuses notes. Comme je suis assez bien documenté et en mesure de chercher un renseignement précis, on me conseille de jeter un coup d'œil au fichier général. Je repasse les fiches des Langlois qui sont en ordre alphabétique des conjoints et conjointes. À Bédard, je trouve immédiatement la fiche suivante : « Antoine Langlois, fils de Jean-Baptiste Langlois et de Marie-Anne Gagné dit Bellavance, a épousé à Notre-Dame de Québec, le *4 juin 1844*, Joséphine *Bédard*, — fille de feu Alexis Bédard et de Josephte Beaumont. » Ainsi, le père d'Antoine Langlois se nommait Jean-Baptiste et sa mère Marie-Anne Gagné. Où ces derniers se sont-ils mariés ?

Il y a des chances que je retrace leur mariage dans le fichier, sinon je pourrai toujours consulter les répertoires de mariages ou les registres eux-mêmes. Par chance, je retrouve ce mariage dans le fichier et j'apprends que Jean-Baptiste Langlois et Marie-Anne Gagné se sont épousés à Saint-Pierre-du-Sud (Montmagny) le 13 novembre 1798 et que le père de Jean-Baptiste se nommait Louis Langlois et sa mère Madeleine Bacon. À ce stade, on me conseille de consulter le *Dictionnaire Généalogique* de Mgr Cyprien Tanguay ; j'y trouve le mariage de Louis Langlois et Madeleine Bacon (tome V, p. 143) le 8 juillet 1743 au Château-Richer. Louis Langlois est fils de Clément III. Je cherche ce Clément Langlois III, c'est-à-dire de la troisième génération au pays, et je trouve le mariage de ce dernier (p.138) avec Marie-Anne Prévost au Château-Richer le 25 juin 1704 ; j'apprends qu'il est fils de Jean II. Je retrace ce Jean Langlois de la deuxième génération (p. 136) qui a épousé au Château-Richer, le 19 octobre 1665, Françoise-Charlotte Bélanger. Jean Langlois est fils de Noël Langlois, mon premier ancêtre au pays, qui épousa à Québec, le 25 juillet 1634, Françoise Grenier. Et voilà ! J'ai réussi à établir ma lignée *directe*.

GÉNÉALOGIE ASCENDANTE EN LIGNE COLLATÉRALE

La généalogie ascendante en ligne collatérale nous permettra de retracer tous ceux dont nous sommes issus suivant une progression géométrique (2, 4, 8, 16, 32, 64, 128, 256, etc). C'est ce que l'on appelle couramment faire son arbre généalogique.

Quand on sait comment réaliser une lignée directe, on sait également comment procéder pour dresser un arbre généalogique. En effet, un arbre généalogique ou une ascendance en ligne collatérale n'est autre qu'un ensemble de lignées directes ou ascendantes. Quand on procède à la confection d'un arbre généalogique, on réalise plusieurs lignées directes telles celle de notre grand-mère paternelle, celles de nos grands-parents paternels, etc.

Cette tâche est longue et demande de la patience car pour retracer ainsi tous ceux dont nous sommes issus, jusqu'aux premiers arrivés en Nouvelle-France, on doit remonter une dizaine de générations, ce qui nous oblige à relever 1 024 noms et donc 512 mariages. C'est cependant un travail très intéressant et la méthode de recherche est exactement la même que pour une lignée directe ascendante.

GÉNÉALOGIE DESCENDANTE

Celui qui a beaucoup de loisirs, une âme de compilateur et une patience à toute épreuve peut se lancer dans la généalogie *descendante*. Pour réaliser ce type de généalogie, qui consiste à faire le relevé de tous les descendants d'un ancêtre commun, il faut en effet avoir du temps devant soi.

La méthode de recherche est très simple. Il s'agit, à partir par exemple du premier ancêtre arrivé en Nouvelle-France, de chercher dans les registres et également en s'aidant de Tanguay tous les enfants de ce premier ancêtre, donc tous ceux à qui il a légué son nom.

Dans un deuxième temps, on retrace tous les enfants de ses fils et les enfants de ces derniers, etc. En somme, on tente de retrouver tous les descendants de l'ancêtre par le relevé de leurs mariages et de ceux de leurs enfants jusqu'à nos jours.

Il est évident que dans une telle recherche il faut procéder avec méthode, en relevant soigneusement tous les noms des enfants de chacun des descendants de cet ancêtre, à chaque génération. C'est un travail qui meuble bien des loisirs!

Dans nos recherches, il se peut que nous nous butions à certaines difficultés. Si tel est le cas, il faudra se référer au chapitre 6 de ce volume qui traite précisément des problèmes en généalogie.

4.
LES MÉTHODES
DE CLASSIFICATION

Les méthodes de classification, aussi nombreuses qu'il y a de généalogistes, ont bien souvent plus ou moins les mêmes avantages et les mêmes inconvénients.

Quand donc nous avons accumulé une foule de notes suite à nos recherches généalogiques, il nous faut nécessairement trouver des façons de les classer pour qu'elles soient faciles à consulter. Différentes méthodes de classification nous sont proposées à cet effet, compte tenu du genre de notes que nous possédons. Nous reprendrons donc ici les grandes divisions de la généalogie afin d'indiquer quels genres de fiches, à notre avis, sont les plus susceptibles de nous aider.

POUR LA GÉNÉALOGIE ASCENDANTE
EN LIGNE DIRECTE

Signalons immédiatement qu'il y a deux formules mises de l'avant par les généalogistes dans ce que certains appellent des méthodes de travail et que nous qualifions ici de méthodes de classification. On parlera en effet de fiches et de tableaux.

Dans le cas des généalogies ascendantes en ligne directe, c'est de fiches dont il s'agira. Il y en a de multiples modèles touchant la naissance, le mariage et le décès.

Toutes ont habituellement un but précis, celui de regrouper dans un espace restreint le plus de renseignements possible sur la ou les personnes en question.

Fiches de naissance et de baptême

Dans ce genre de fiche, quels renseignements essentiels doit-on trouver? Les prénoms du nouveau-né, les date et lieu de sa naissance et de son baptême, les prénoms et noms de ses parents, de son parrain et de sa marraine. Certains ajouteront la profession des parents et parrains, les liens de parenté de ces derniers avec le nouveau-né, le nom du prêtre qui a officié au baptême, le folio ou la page du registre contenant l'acte de baptême ou l'enregistrement de la naissance.

Nous ne donnerons ici qu'un modèle de fiche de ce genre, libre à chacun d'en fabriquer à sa façon. Quant à la manière la plus pratique de les classer, c'est encore par noms de famille et ordre alphabétique des prénoms, si on les classe sans les intégrer aux fiches de mariage et de sépulture.

Fiches de mariage

S'il n'existe que très peu de modèles de fiches de baptême, il y en a une multitude en ce qui a trait au mariage. Là encore, les renseignements essentiels à retrouver sont le nom des conjoints et leur filiation, ainsi que la date et le lieu du mariage. On pourra ajouter la profession, le folio au registre, le nom du célébrant ou de l'officier à la cérémonie, le nom des témoins, etc.

Dans le cas qui nous préoccupe, l'ascendance en ligne directe, on ne s'en tient pas ordinairement qu'à cela. En effet, on laisse de la place pour inscrire le nom des enfants de ce couple.

Parmi les diverses fiches, certaines semblent remplir plus adéquatement leur rôle que d'autres. Nous vous en présentons un modèle.

FICHE DE NAISSANCE ET DE BAPTÊME

de: *MATHIEU LANGLOIS*

Né(e) le: *29 mai 1928*   **À:** *Québec*

De: *François Langlois, comptable*
Et: *Louise Tremblay, ménagère*

Photo

Baptisé(e) le: *30 mai 1928*   **À:** *Notre-Dame-de-Québec*
Sous les prénoms de: *Joseph-Etienne-Mathieu*

Parrain: *Charles Langlois, cultivateur, oncle de l'enfant*
Marraine: *Marthe Gagnon, tante de l'enfant*
Prêtre: *Jean-Baptiste Lemay*
Folio: *24 recto*

Remarques: *Ont assisté au baptême: Jean, Monique, Rose et Julie, frère et soeurs du nouveau-né. L'enfant est né à 2h30 du matin.*

N.B. Tous les noms qui paraissent sur ces fiches sont fictifs.

FICHE DE MARIAGE

LANGLOIS – GODBOUT

Mariés le: 30 mai 1908   **À:** St-Roch-de-Québec   **Folio:** 12 verso

LANGLOIS, Marcel, mécanicien (François – Marie Noël)

Baptisé le: 8 août 1884   **À:** l'Ange-Gardien.   **Folio:** 34R
Enterré le: 12 janvier 1948   **À:** St-Roch-de-Q.   **Folio:** 3V

GODBOUT, Marguerite (Claude – Mélanie Chabot)

Baptisée le: 14 avril 1886   **À:** Québec (St-Charles)   **Folio:** 22V
Enterrée le: 22 mai 1968   **À:** St-Roch-de-Q.   **Folio:** 23R

Enfants	N. et B.	Lieu	D. et S.	Lieu	Mariage	Lieu	Conjoint(e)
Normand	8/9-12-10	Qué.	21/23-01-66	Mtl.	12-07-32	Mtl.	Noëlla Blais
Jean	22-08-12	Qué.	14/16-03-70	Qué.	28-09-34	Qué.	J. Laurendeau
François	18-03-15	Qué.	15/16-04-15	Qué.			
Isabelle	1-04-18	Qué.			16-04-38	Qué.	J. Brousseau
Rose	7-11-20	Qué.	6/8-11-48	Qué.			
Réjeanne	22-04-22	Qué.	9/10-03-72				

Remarques :

Le classement de ces fiches se fait évidemment par génération. Ces mêmes fiches servent ordinairement dans la généalogie descendante et dans ce cas, il existe plusieurs façons de les classer. Nous en parlerons plus loin.

Fiches de décès ou de sépulture

Ces fiches, comme celles des naissances, contiennent les éléments essentiels suivants : nom et prénom du défunt, date et lieu du décès et de la sépulture, nom des parents ou du conjoint pour une personne mariée, âge au décès, etc.

POUR LA GÉNÉALOGIE ASCENDANTE EN LIGNE COLLATÉRALE

Si on se souvient bien, la généalogie ascendante n'est autre que la confection de ce qu'il est convenu d'appeler un arbre généalogique.

La cueillette des notes dans un tel cas peut se faire sur fiches et les notes ainsi recueillies peuvent être transcrites au propre sur un tableau ou arbre généalogique.

Parmi les modèles de fiches reproduits ici, une fiche particulière sert précisément à la confection d'un arbre généalogique. Ce modèle de fiche a un très grand avantage. Il nous permet en effet de compiler tous les renseignements nécessaires selon la méthode Stradonitz sans que nous soyons obligés de toujours apporter avec nous le grand tableau qu'est l'arbre généalogique ; de plus, les tableaux de ce genre étant assez dispendieux, il y a moins de conséquences à corriger les fiches que le tableau.

Les tableaux ou arbres généalogiques

Signalons immédiatement que représenter l'ascendance en ligne collatérale sous la forme d'un arbre est un non-sens. En effet, dans un arbre généalogique, on retrouve sur les plus petites ramifications les noms des personnes qui sont à l'origine ou, en d'autres termes, devraient être la souche de l'arbre. Car, pour confectionner l'arbre généalogique, on part

FICHE DE DÉCÈS
ET DE SÉPULTURE

de: MARTHE GAGNON
épouse de Charles Langlois

Décédé(e) le: 20 juillet 1944   **À:** Saint-Nicolas   **Âge:** 74 ans

Enfant de: feu Joseph Gagnon, ferblantier
feue Mathurine Poisson

Marié(e) à: François Dupuis en premières noces
Charles Langlois, cultivateur en secondes noces

Inhumé(e) le: 22 juillet 1944   **À:** Saint-Nicolas

Témoins: Marc Morin et Joseph Lavoie

Prêtre: Jean-Marie Roy

Folio: 35 verso

Remarques: Décédée des suites de complications pulmo-
naires. Elle était hospitalisée à l'Hôpital
Laval depuis plus de deux mois. Lui survivent
son mari et ses enfants: Luc Dupuis, Jean,
Monique, Rose, Julie et Mathieu Langlois.

Photo

de soi pour remonter jusqu'à ses lointains ancêtres. L'image de l'arbre généalogique donne un beau coup d'œil mais fausse en quelque sorte la présentation des données recueillies.

Il existe différents modèles d'arbres, nous en donnerons quelques exemples. Mais auparavant, parlons des méthodes de classement en généalogie ascendante en ligne collatérale.

Nous nous souvenons de la progression d'une telle généalogie : 2, 4, 8, 16, 32, 64, etc. C'est un peu à partir de cela que Van Stradonitz a conçu la meilleure façon de classifier les données recueillies pour cette forme de généalogie. Afin de se retrouver rapidement en ce domaine, il a pensé numéroter chacune des personnes dont on relève le nom (voir tableau).

Ainsi, on remarquera qu'il devient facile, dans un arbre généalogique, de repérer ses ancêtres. Les hommes ont toujours un numéro *pair* et les femmes un numéro *impair* (sauf dans le cas du numéro 1, qu'on attribue à la personne dont on fait l'ascendance en ligne collatérale et qui peut être un homme ou une femme).

Un homme porte toujours un chiffre égal au double de celui de son fils (2, 4, 8, 16, etc.) et à la moitié de celui de son propre père.

Une femme porte un chiffre égal au double de celui de son fils plus 1, et à la moitié de celui de sa mère moins 1. Par exemple, en voyant le chiffre 15, nous savons que cette personne est mère de : $\dfrac{15 - 1}{2} = 7$,

$$\text{et la fille de } 15 \times 2 = 30 \text{ (père)}$$
$$\text{et de } 15 \times 2 + 1 = 31 \text{ (mère).}$$

Tout cela permet d'établir une fiche pour chaque personne dont le nom paraît à l'arbre généalogique et facilite également le repérage de ses parents. Les autres possibilités de cette méthode sont multiples mais relèvent de calculs mathématiques, et ce n'est pas notre propos d'aller plus loin.

CHERCHONS NOS ANCÊTRES

Parents	Grands-parents	Bisaïeuls			
		8 Père de 4	**16**	**32**	1
				33	2
	4 Grand-père paternel		**17**	**34**	3
				35	4
		Mère de 4 **9**	**18**	**36**	5
				37	6
2 Père			**19**	**38**	7
				39	8
		10 Père de 5	**20**	**40**	9
				41	10
			21	**42**	11
				43	12
	Grand-mère paternelle **5**	**Mère de 5** **11**	**22**	**44**	13
				45	14
			23	**46**	15
				47	16
		12 Père de 6	**24**	**48**	17
				49	18
	6 Grand-père maternel		**25**	**50**	19
				51	20
		Mère de 6 **13**	**26**	**52**	21
				53	22
			27	**54**	23
				55	24
3 Mère		**14** Père de 7	**28**	**56**	25
				57	26
			29	**58**	27
				59	28
	Grand-mère maternelle **7**	**Mère de 7** **15**	**30**	**60**	29
				61	30
			31	**62**	31
				63	32

1 X...

La méthode de classification de Stradonitz n'est pas unique en ce domaine, mais elle est certainement la plus pratique. Pour en connaître plus long sur ce point on se reportera au volume de Yann Grandeau intitulé *À la recherche de vos ancêtres*, publié chez Stock en 1974. Cet auteur explique très bien les principaux systèmes de classement en ce domaine.

POUR LA GÉNÉALOGIE DESCENDANTE

En généalogie descendante, de nombreuses méthodes de classement existent, plus compliquées les unes que les autres, qui ont à la fois leurs avantages et leurs désavantages. L'image de l'arbre généalogique prend ici toute sa valeur, car nous partons de l'ancêtre pour relever tous ses descendants.

Classer ses notes en généalogie descendante demeure relativement simple quand on les conserve sur fiches, comme celles dont nous parlions en généalogie ascendante en ligne directe.

Comme on compile, en généalogie descendante, les noms de tous les descendants d'un ancêtre unique, le nombre de fiches se multiplie au rythme des descendants de cette personne. Chaque fiche est en réalité une fiche de mariage et peut comporter les noms des enfants du couple ; le problème est de classifier le tout de telle façon qu'il soit possible de retracer rapidement un mariage et une lignée. Comme les renseignements affluent au fur et à mesure que les recherches avancent, il n'est pas facile de classifier le tout.

Méthodiquement et logiquement, on devrait procéder au relevé de tous les descendants d'un ancêtre en partant de lui-même, en passant par ses fils et les fils de ces derniers et ainsi de suite jusqu'à nos jours. Mais ce n'est pas toujours ainsi que l'on procède. Habituellement, on relève tous les mariages de personnes portant le même nom que l'ancêtre et on tente ensuite de les joindre aux générations antérieures.

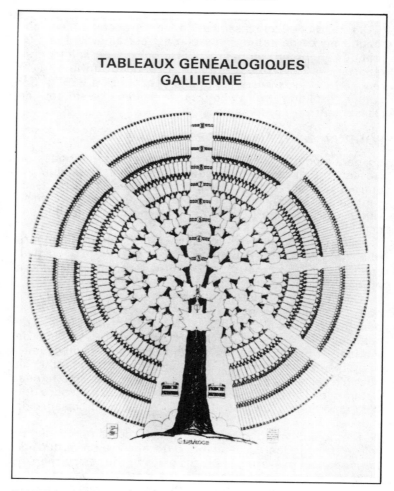

Tableau généalogique réalisé par M. Gérard Gallienne.
Les chercheurs désireux de se procurer ce tableau généalogique ou d'autres semblables peuvent s'adresser à : Mme Gérard Gallienne, 2386, Marie-Victorin, Sillery, Québec   G1T 1K1.

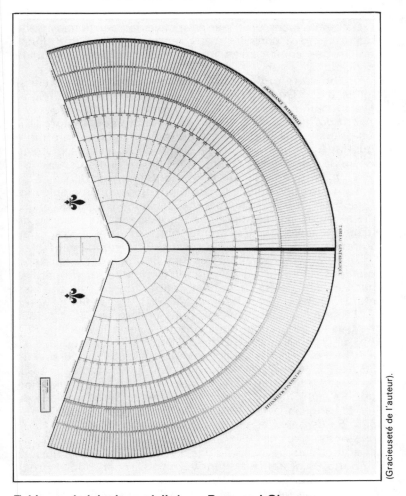

(Gracieuseté de l'auteur).

Tableau généalogique réalisé par Raymond Gingras.
Format: 24x35 pouces (62.50x87.50 centimètres) Prix: $3.00
Pour se procurer ce tableau vous adresser à: Raymond Gingras
111, rue Poirier, Saint-Nicolas, (Lévis) Québec   G0S 2Z0

De quelle façon procéder pour classifier ces fiches ? Celle que je suggère consiste à les regrouper par ordre alphabétique des conjoints en indiquant sur la fiche de quelle génération il s'agit.

Si l'on se réfère aux volumes tels les recueils généalogiques d'Éloi-Gérard Talbot, ou les dictionnaires généalogiques comme celui d'Omer Bédard sur la *Généalogie des Bédard du district de Québec*, on constate que, malgré leur très grande utilité, ils ont tous le même défaut. En effet, il nous faut longuement fouiller avant de retracer le mariage que nous cherchons. Quand nous le trouvons cependant, c'est un jeu d'enfant que de remonter une lignée.

Nous pensons que ce défaut peut être évité en employant la méthode que nous suggérons ici. Comme le dictionnaire généalogique portant sur tous les descendants d'un ou de plusieurs ancêtres du même nom est un ouvrage de référence, il devrait pouvoir se consulter rapidement.

Si on désire regrouper les familles par générations, il nous faut, comme l'a d'ailleurs fait Omer Bédard, numéroter chacune des fiches et donner référence sur la fiche des enfants. Ainsi Joseph Bédard, VI, no 122, est fils de V, no 57. Le procédé est excellent, mais encore faut-il effectuer une très longue recherche avant de retracer le mariage que nous cherchons, sans savoir d'ailleurs s'il s'y trouve.

Afin d'éviter tous ces inconvénients, nous proposons de classer les fiches par ordre alphabétique des conjoints et conjointes, en notant dans le haut de la fiche la génération dont il s'agit. Si nous cherchons par exemple le mariage de Pierre Langlois avec Marguerite Baillargeon, nous allons voir à *Baillargeon*, et nous le trouvons immédiatement. Nous apprenons que ce Pierre Langlois est de la troisième génération au pays et qu'il est fils de Jean Langlois et Charlotte Bélanger. En allant voir à Bélanger, nous retrouverons le mariage de Jean Langlois avec cette dernière, lequel est fils de Noël Langlois et Françoise Grenier.

Cette méthode permet un repérage très rapide du mariage que nous cherchons et nous pouvons remonter une lignée aussi facilement que dans les volumes que nous mentionnions plus haut. Elle permet également de regrouper dans un même volume tous les descendants d'un ou même de plusieurs ancêtres portant le même nom de famille. Un premier dictionnaire utilisant cette méthode paraîtra bientôt, celui des familles Asselin, descendants de René, Jacques et David Asselin.

À titre d'exemple, nous reproduisons une fiche type qui nous servira à expliquer encore plus à fond cette façon de procéder. On retrouve dans cette fiche les éléments essentiels concernant un couple. La fiche est classée à *Bélanger*, du nom de l'épouse. Jean Langlois est de la deuxième génération de Noël. Le sigle N II nous l'indique. On retrouve les éléments qui concernent les garçons mariés au nom de leur épouse.

Ainsi, pour en connaître plus long sur Jean-François Langlois, il faudrait aller voir à *Rousseau*. Par contre, on mentionne ici tous les renseignements concernant une fille mariée. Pour faciliter le repérage de cette dernière, on dresse une liste alphabétique des noms des conjoints à la fin du volume. Si donc un chercheur sait que Geneviève Langlois est mariée à un Levitre, il réfère à ce nom à la liste des conjoints. À *Levitre,* il trouvera : *LEVITRE, Guillaume m à Geneviève (Jean-Frse Charlotte BÉLANGER).*

En se référant à la fiche *Bélanger,* le chercheur trouvera les renseignements qui concernent Geneviève Langlois. Quant aux célibataires femmes et hommes, on les retrouve à la fiche de leurs parents, et on les repère par le nom de leur mère.

Ce dictionnaire généalogique devient donc un instrument complet facile et rapide à consulter. À chaque instant on est vite renseigné sur l'identité de la personne que l'on cherche, sachant immédiatement à quelle génération et à quel ancêtre elle appartient. De plus, des notices bio-graphiques peuvent facilement être ajoutées à tout cela, sans déranger aucunement la consultation. Nous croyons que cette méthode de classification, la dernière que nous voulions présenter en ce chapitre, saura satisfaire plusieurs chercheurs et se gagnera bien des adeptes. C'est tout au moins notre vœu en la présentant.

N II LANGLOIS dit **Boisverdun, Jean**
  fils de **Noël** et **Françoise GRENIER**
  m 19-10-1665 à Château-Richer
  s 26-08-1687 à Québec

BÉLANGER, Françoise-Charlotte
  fille de **François** et **Marie Guyon**
  m en 2e noces en 1695 à **Thomas Rousseau**

Jean-François	1° G. ROUSSEAU;
	2° C. LAPLANTE;
	3° D. PICARD
Joseph	Louise NOLIN
Clément	M.-Anne PRÉVOST
Pierre	b 21-12-1677 à Ste-Famille I.O.
	1° A. BAILLARGEON
	2° M. GODBOUT
Charles	b 01-12-1668 à St-F. I.O.
Paul	b 19-02-1685 à Cap Saint-Ignace
Élisabeth	b 00-00-0000
	m 07-01-1709 à François Gagné à l'Islet
Geneviève	b 23-04-1672 à Québec
	m 27-11-1690 à Guillaume Levitre
	à St-P. I.O.
Marie	b à Québec et s 15-12-1670
M.-Madeleine	b 03-06-1674 à St-F. I.O.
	m 22-11-1691 à Jean Leclerc à St-P. I.O
Élisabeth	b 30-11 et s 13-12-1676 à St-F. I.O.

Fiche pour une généalogie descendante, selon une méthode de travail élaborée par l'auteur.

5.
LA BIOGRAPHIE D'ANCÊTRE

Rédiger une bonne biographie d'un ancêtre n'est pas une mince tâche. Non pas qu'il faille être un champion généalogiste ou historien pour y parvenir, mais bien parce qu'il faut procéder méthodiquement et connaître les fonds et les sources à consulter pour ne pas laisser de côté des éléments importants qui peuvent changer toute la signification de tel ou tel geste posé par l'ancêtre en question.

Signalons d'abord qu'il y a deux méthodes principales de présentation d'un ancêtre. Certains nous le feront connaître par tout ce qui le concerne, année par année: c'est la méthode chronologique. D'autres préféreront nous le présenter dans le cadre des principales activités de sa vie: c'est la méthode que nous pourrions qualifier «par points d'intérêt». L'une et l'autre façon a ses avantages et inconvénients, mais toutes les deux nécessitent les mêmes recherches.

Nous allons porter notre attention sur trois points principaux. D'abord, les recherches préalables à la rédaction d'une biographie, ensuite les thèmes qui permettent de parvenir à une bonne rédaction d'une telle biographie, et enfin les illustrations qui peuvent la compléter.

RECHERCHES PRÉALABLES

Les premières données à connaître au sujet d'un individu ne sont autres que ses dates de naissance, baptême, mariage s'il y a lieu, décès et sépulture. Ces dates nous permettent de situer cette personne dans le temps.

À titre d'exemple, nous supposerons que nous devons écrire la biographie d'un ancêtre venu de France au 17e siècle. Que devons-nous d'abord savoir à son sujet et dans quel contexte de vie devons-nous le situer?

Le lieu d'origine de l'ancêtre

Quand on établit l'ascendance d'une personne jusqu'à son premier ancêtre en Nouvelle-France, on trouve ordinairement mentionné à l'acte de mariage de ce dernier, s'il s'est marié en Nouvelle-France, son lieu d'origine. Parfois, la chose n'est pas spécifiée à l'acte de mariage; dans ce cas, il faut se référer au contrat de mariage. S'il n'existe pas de contrat de mariage, ou encore de contrat d'engagement pour le Canada, ou si cette personne était déjà mariée en France lorsqu'elle vint au pays, il existe encore quelques moyens de retracer son lieu d'origine. Il y a d'abord le registre des confirmations, celui des malades de l'Hôtel-Dieu de Québec et, plus tard, celui de l'Hôpital général de Montréal, autant de sources qu'il ne faut pas négliger de consulter.

D'autres documents importants pour obtenir la mention du lieu d'origine d'un ancêtre sont l'inventaire de ses biens, son testament, ainsi que les donations qu'il a faites, et parfois des ventes de terres ou d'autres biens en France.

Si, après consultation de toutes ces sources, on n'a pas réussi à retracer son lieu d'origine, il y a encore la possibilité qu'on en trouve mention dans les fonds d'archives concernant la justice. Si cet ancêtre a été interrogé en rapport à un procès, il y a de fortes chances que son lieu d'origine y soit spécifié.

Ainsi, rares sont les ancêtres dont on ne connaît d'aucune façon le lieu d'origine en France. Quand on est fixé sur ce point, il nous faut nous documenter sur ce lieu en consultant les atlas géographiques de l'époque et en écrivant en France dans le but d'obtenir des renseignements sur la paroisse d'où il venait, sur l'existence de son acte de baptême, de ceux de ses frères et sœurs, du mariage de ses parents, etc.

Quelques volumes donnent des renseignements sur tous ces points, et on en trouvera une nomenclature dans la bibliographie. On procède de la même façon quand on écrit la biographie d'une personne ayant vécu ici. Il faut d'abord la situer dans son premier milieu de vie. Il s'avère important de bien connaître ses parents, ses frères et sœurs, son milieu de naissance, etc. Il faut donc se documenter en premier lieu sur toutes ces questions.

La venue des ancêtres

La deuxième préoccupation d'un chercheur en généalogie concernant un ancêtre venu de France ou d'ailleurs en Europe est de trouver son contrat d'engagement pour la Nouvelle-France. On sait en effet que la majorité des ancêtres vinrent sur nos rives à la suite d'un contrat d'engagement pour cinq ou trois ans. Peu de ces contrats ont été retracés. Mais nous sommes persuadé qu'une recherche approfondie et systématique dans les greffes des notaires français de l'époque, comme celles réalisées à La Rochelle par Debiens et à Tourouvre par Madame Montagne, nous réserverait d'agréables surprises. Quoi qu'il en soit, quelques travaux intéressants ont été réalisés sur le sujet et on aurait profit à les consulter au début de toute recherche de ce genre.

De plus, quelques listes de passagers de navires nous révèlent la date d'embarquement et d'arrivée de quelques ancêtres sur nos rives. Malheureusement, très peu de ces listes ont été conservées tant ici qu'en France. Le travail des généalogistes, si toutes les listes avaient été conservées, en serait sérieusement facilité.

Néanmoins, en se servant des renseignements connus au sujet de son lieu d'origine et de son contexte de vie à sa naissance et dans sa prime jeunesse, on peut être en mesure de déterminer les raisons qui l'ont motivé à s'embarquer pour la Nouvelle-France. Ainsi, un ancêtre venu d'outre-mer au 17e siècle avait sûrement des motifs précis pour émigrer. Pour déterminer les raisons de sa décision, il faut connaître le contexte dans lequel vivaient la plupart des gens à cette époque.

Les causes de départ

On a peu élaboré sur les motifs qui incitaient nos ancêtres à quitter leur patrie pour venir s'installer en Nouvelle-France. Pourtant, les raisons ne manquaient pas à bon nombre de Français pour changer de pays. Sans doute, compte tenu de l'époque, les causes de départ pouvaient-elles varier, mais elles restaient fondamentalement toujours les mêmes. Nous les résumerons en ces termes : pauvreté, taxes multiples, troubles sociaux, goût de l'aventure et propagande.

Nous croyons qu'une des principales causes de départ pour le Canada provenait du fait qu'en France, comme en beaucoup de pays européens, pour nombre de personnes la pauvreté était le lot quotidien. Apprendre qu'on pouvait travailler et même s'approprier des terres sur les rives du Saint-Laurent devenait sûrement pour plusieurs une planche de salut. De là à s'engager pour le Canada, il n'y avait qu'un pas à franchir et c'est ce que plusieurs firent sans regret. Les raisons de cette pauvreté peuvent être multiples, mais on les retrace surtout dans le fait que les impôts et taxes auxquels tous se voyaient soumis par les autorités grevaient pour plus de moitié le budget. Ajoutons à cela les troubles sociaux continuels et les épidémies fréquentes, et on aura trouvé toute une panoplie de causes de départ.

Mais à la pauvreté, aux guerres et aux épidémies, il faut ajouter le goût de l'aventure et la propagande faite autour de la colonisation sur nos rives. On sait que des personnages comme Robert Giffard et Pierre Boucher recrutèrent eux-mêmes directement de nombreux colons. Les récits qu'ils firent de leur séjour sur les bords du Saint-Laurent contribuèrent sûrement pour une large part à attirer plusieurs de leurs compatriotes au Canada. On ne parle pas sans résultat de chasses et pêches merveilleuses à certaines personnes! La propagande de ces agents de recrutement porta largement ses fruits. On peut également relier à cette forme de recrutement les récits des missionnaires et en particulier ceux des Jésuites dans leurs *Relations*.

Si ce phénomène joua notamment pour nos tout premiers ancêtres, il explique également le va-et-vient de nombreux de leurs descendants sur le sol de la Nouvelle-France. Il s'avère donc fort utile de tenir compte, dans une biographie d'ancêtre, de tous ses déplacements motivés sans aucun doute par des raisons similaires.

Avant d'abandonner cet exemple d'une biographie d'ancêtre venu chez nous au 17e siècle, signalons que, dans ce cas précis, il faut rechercher le contrat d'engagement. On se doit également de connaître les conditions auxquelles se soumettaient tous ceux qui s'embarquaient pour le Canada. Pour en savoir plus long sur ce sujet, nous vous référons à l'article que nous avons publié sur cette question dans la revue *L'Ancêtre* (vol. 4 pp. 183 et suivantes).

Le métier de l'ancêtre

Un des points les plus intéressants à faire ressortir dans la rédaction d'une biographie d'ancêtre est celui du métier qu'il exerçait. Que d'intérêt il y a à lire et à se documenter sur le métier exercé par l'ancêtre! Était-il sabotier, serrurier, faux-saulnier, meunier, armurier, scieur de long, boulanger, ferblantier?

Il importe donc de bien déterminer son métier d'après une mention dans les actes. Il faut également savoir que plusieurs ancêtres exercèrent différents métiers à la fois. Tout cela, il convient de le noter soigneusement, afin d'en connaître plus long sur les agissements de celui dont on écrit la biographie. Donnons un exemple à ce sujet. Dans la biographie de Jean Langlois, nous n'aurions jamais pu expliquer pourquoi il renonçait à l'héritage qui lui revenait de la terre de son père à Beauport, par un échange qu'il effectuait avec son jeune frère Noël, si nous n'avions pas su le métier qu'exerçait Jean Langlois. Ce dernier, en effet, était charpentier de navires; comme la fabrication des barques et des navires demandait beaucoup de bois de chêne, nous comprenons mieux que Jean Langlois ait préféré s'installer sur l'île d'Orléans, où les chênes poussaient en abondance.

Ce sont là des détails importants que le métier exercé par l'ancêtre en question peut nous faire découvrir.

Sa maison, sa terre

Un autre aspect important de la biographie d'un ancêtre est celui de son établissement en un lieu donné, de l'emplacement de sa maison ou de sa terre. Il y a tellement à découvrir à ce sujet.

Où se situait sa maison? Quand a-t-il reçu sa première concession de terre? Quelles étaient les clauses du contrat de concession ou de l'achat de la terre? Combien avait-il d'arpents de défrichés lors des recensements? Que contenait sa maison lors de l'inventaire de ses biens? Avait-il beaucoup d'animaux? de linge? Qui hérita de ses biens? Comment se fit le partage de sa terre?

Tous ces détails et combien d'autres sont révélateurs de sa personnalité. Ce sont les divers contrats qui le concernent qui nous révèlent tout cela.

Si, dix ans après avoir reçu une concession, un ancêtre n'avait que trois ou quatre arpents en labour, c'est signe qu'il s'adonnait à autre chose qu'au défrichage de sa terre. Que faisait-il d'autre alors? Allait-il dans l'Ouest pour le commerce des pelleteries? Était-il plus occupé à la chasse et à la pêche qu'aux travaux de la terre? Fournissait-il du bois pour les constructions? Travaillait-il ailleurs? Est-il allé régler certains détails de successions en France? Était-il malade et allait-il pour de plus ou moins longues périodes à l'hôpital? Agissait-il comme serviteur quelque part?

Que de détails et de révélations importantes peuvent nous faire découvrir quelques lignes d'un de ces actes! Mais rappelons toutefois qu'à moins de faits dûment spécifiés, il ne faut pas trop laisser son imagination s'emporter. Il n'est pas permis ici d'inventer. Il faut s'en tenir rigoureusement à ce que nous savons. Des déductions savantes et couvrant plusieurs pages peuvent être détruites par quelques lignes officielles seulement.

Nous nous souvenons avoir lu récemment une longue étude pour prouver qu'un ancêtre ne faisait pas partie du régiment de Carignan, alors que la simple phrase de l'intendant Jean Talon qui dit que les soldats ne furent pas recensés en 1666, suffisait à le prouver, puisque le nom de cet ancêtre figure au recensement.

La pire pièce d'imagination dont nous avons eu connaissance en ce sens concerne notre ancêtre. En 1665, Françoise Grenier, l'épouse de Noël Langlois, décède. La veille du décès, en compagnie de son mari et devant notaire, elle mettait ordre à tout ce qui concerne la succession, ce qui laisse présager qu'on savait sa mort imminente. Plusieurs années plus tard, dans une déclaration de Noël Langlois au sujet de ses dettes, on trouve la remarque suivante : 200 livres seront accordées à Paul Vachon, époux de Marguerite Langlois, cette somme venant du Père Chaumonot, jésuite, à cause de Françoise Grenier qui a été tuée. Cette notice nous apprenait la mort tragique de Françoise Grenier, mais rien de plus. Quelle ne fut pas notre stupéfaction d'apprendre à la lecture d'une biographie de notre ancêtre que son épouse Françoise Grenier avait été tuée par un Jésuite !

Avons-nous besoin d'insister davantage au sujet de la rigueur historique qui doit être à la base de toute biographie d'ancêtre ?

En ce qui concerne la terre d'un ancêtre, ceux qui aiment faire des casse-tête sont servis à souhait. En effet, il n'y a rien de plus passionnant que de suivre, année après année, génération après génération, les subdivisions d'une terre suite aux successions, aux ventes, cessions, etc. C'est un complément fort intéressant à une biographie d'ancêtre.

Les événements heureux et malheureux

Il n'y a pas une vie qui ne soit tissée d'événements heureux et malheureux. La naissance constitue un événement heureux, le mariage habituellement aussi, le décès un événement parfois heureux, parfois malheureux, suivant le point de vue des survivants. Quoi qu'il en soit, tous ces événements doivent trouver leur place dans la biographie d'un ancêtre.

Il importe donc de faire le relevé de tous les actes de baptême, mariage et sépulture qui concernent l'ancêtre, son épouse et leurs enfants. Ce travail prend ordinairement passablement de temps si on ne veut pas que notre texte biographique soit simplement une longue énumération de noms et de dates.

Nous avons parlé déjà de fiches de baptême, mariage et sépulture. C'est ici qu'elles trouvent leur pleine valeur en re-groupant les détails qui viennent étoffer le texte, tels les noms des parrains et marraines, ainsi que ceux des témoins, etc.

Un autre excès doit être évité dans la rédaction de notre biographie. Il s'agit de ne pas faire en même temps que l'histoire de l'ancêtre l'histoire de la Nouvelle-France! Il arrive trop souvent qu'à la simple évocation du nom d'une personne illustre, tels Jean Talon, Mgr de Laval et autres, certains rédacteurs de biographies d'ancêtres partent dans de longues digressions à propos de ces personnages, en oubliant leur ancêtre pour une dizaine de pages et en nous répétant en long et en large ce que tant d'autres avant eux ont écrit souvent avec beaucoup plus de bonheur. La biographie d'un ancêtre doit demeurer la sienne et non celle de tous ses contemporains plus illustres.

Les démêlés en justice

Quand on a exploré les différents événements heureux et malheureux qui ont marqué la vie de l'ancêtre, il faut également jeter un coup d'œil du côté de la justice. On peut presque affirmer que tous les ancêtres, à une occasion ou l'autre, ont eu des démêlés en justice. La plupart du temps, il s'agit de faits anodins, mais qu'il vaut la peine de relever. Les causes de justice foisonnent ordinairement en détails savoureux qu'on ne retrouve pas ailleurs et qui s'avèrent précieux pour nous permettre de connaître différents éléments les concernant.

Une cause en justice porte sur un fait précis, révélateur d'une situation vécue par les personnes impliquées. Ce fait vécu est parfois décrit dans son déroulement et les détails qu'on trouve alors nous éclairent largement sur une multitude de points ; suivant le genre de cause et le type de document que nous avons en main, nous serons informés quant au nom exact d'une personne, quant à son surnom, son âge au moment de la cause en question, son lieu d'origine, son métier, sa situation matrimoniale, son lieu de résidence, son avoir, etc.

La fréquence des apparitions d'une personne en justice peut également nous éclairer sur son tempérament, sur la plus ou moins bonne tenue de ses affaires, sur ses dettes, ses obligations, etc.

Par des documents judiciaires on pourra également apprendre les circonstances du décès d'une personne, son lieu d'origine en France ou au pays, l'année de son arrivée sur nos rives, ses relations ici et outre-mer, les dates de contrats passés ici ou ailleurs, son état de santé à un moment précis, son absence pour voyage, son élection comme tuteur, etc. Certains documents judiciaires nous apprennent également différents détails utiles à connaître au sujet des mœurs et coutumes de l'époque, par exemple, les jours de marché, la valeur des objets et des aliments, la température, les règlements de police, les peines imposées pour chaque délit, etc.

Comme on peut le constater, celui qui sait utiliser à bon escient les documents judiciaires est en mesure de situer assez bien un personnage dans son cadre de vie. Il ne faut jamais perdre de vue en effet que nos ancêtres ont vécu dans un milieu précis, à une époque donnée, et qu'ils furent mêlés aux événements qui marquèrent cette période.

Les recensements

Documents très précieux pour la rédaction d'une biographie ancestrale, les recensements ont le grand avantage de nous fournir des renseignements fort utiles sur nos aïeux. En effet, on y trouve une foule d'éléments très intéressants tels l'énumération de certains biens, maison, fusil, animaux, arpents en valeur, l'âge des gens, leur métier, le nombre des enfants et leur âge, etc. Tous ces éléments viennent meubler avantageusement une biographie et ne sont donc pas à négliger.

La religion

On connaît la grande importance de la religion dans la vie de nos aïeux. Combien d'entre eux firent des milles et des milles à pied pour ne pas manquer un office !

Tous les événements importants de la vie des ancêtres sont directement rattachés à la religion. On néglige souvent, dans la rédaction d'une biographie d'ancêtre, de consulter les papiers de la fabrique de la paroisse où notre homme a vécu. Pourtant, rares sont les monographies paroissiales où l'on ne déniche pas un renseignement ou l'autre sur un ancêtre. Si donc notre ancêtre a vécu à Château-Richer, sur l'île d'Orléans et à Beauport, il ne faut pas négliger de jeter un coup d'œil aux monographies écrites sur ces paroisses, ou mieux, aller à la paroisse consulter les papiers de la fabrique. Il y a de fortes chances d'y découvrir des choses fort intéressantes.

Avant de terminer sur cette question, rappelons une autre démarche très importante que tout rédacteur de biographie d'ancêtre devrait exécuter avant même de commencer à rédiger son texte : celle de se rendre sur les lieux où son ancêtre a vécu. Passer quelques heures à l'endroit où a vécu celui dont on désire écrire la vie peut nous en apprendre beaucoup à son sujet. Visiter sa terre, la maison où il a habité, voir ce qu'il a vu, toucher ce qu'il a touché, marcher où il a marché sont autant d'atouts de plus à l'actif de celui qui veut être le plus objectif possible dans ses écrits. Si vous tentez l'expérience, vous vous sentirez ému à la simple idée de savoir que votre ancêtre a vécu là où vous êtes aujourd'hui, qu'il a fréquenté l'église, le moulin banal, le manoir, qu'il a arpenté les rues que vous arpentez lentement comme il l'a fait autrefois. Voilà une expérience à vivre avant d'écrire à son sujet.

THÈMES RELATIFS À LA BIOGRAPHIE ANCESTRALE

La tendance de plusieurs auteurs de biographies d'ancêtres, nous l'avons dit, est de dévier de leur sujet en faisant l'histoire de personnages célèbres qui ont vécu à la même époque que le personnage dont ils écrivent la biographie.

Comment expliquer ces longues digressions ? Sans doute parce que ces auteurs ne trouvent pas assez de matière dans les actes qui concernent leur propre ancêtre, ou encore pour faire étalage de leur érudition. Quoi qu'il en soit, ces personnes auraient sûrement gagné à connaître davantage la petite histoire, le vécu quotidien des ancêtres, car pour rendre vivante une biographie d'ancêtre, il n'y a rien de tel que de situer l'action dans son contexte. Or les sujets ou thèmes ne manquent pas, qui peuvent être extrêmement utiles à celui qui écrit la vie de son ancêtre. Nous en avons signalé plusieurs dans les lignes précédentes, mais nous croyons important d'en mentionner encore quelques autres. Il faut en effet savoir que tous ces sujets ont fait l'objet d'articles, de volumes mêmes, dont nous devons tenir compte pour situer nos aïeux dans leur milieu de vie. L'hiver, les coutumes en rapport au mariage, les superstitions, le travail des enfants, les amusements sont autant d'autres facteurs qui peuvent expliquer certains comportements, certaines habitudes. Plus on en connaît sur la vie et les mœurs des aïeux, plus on a de chances d'écrire à leur sujet des lignes intéressantes.

Nous avons mentionné dans les lignes précédentes quelques thèmes pouvant aider à nous remettre dans le contexte du vécu de nos ancêtres. On en trouvera une liste plus complète en bibliographie. Parmi les ouvrages qui peuvent être consultés sur ces différents thèmes, signalons en particulier le *Bulletin de recherches historiques* et la *Revue d'histoire de l'Amérique française* qui dans un article ou l'autre abordent chacun de ces thèmes.

LES ILLUSTRATIONS ACCOMPAGNANT
UNE BIOGRAPHIE

Un bon nombre de biographes d'ancêtres utilisent des illustrations pour rendre encore plus vivant leur texte. Le procédé est excellent mais malheureusement plusieurs d'entre eux se servent de dessins plus ou moins réussis et souvent hors contexte.

Si on emploie uniquement des dessins pour illustrer une biographie, il faut faire un choix judicieux et éviter ceux de moindre qualité ou plus ou moins adaptés au texte ; à plus forte raison, on ne devrait pas rédiger le texte en fonction des illustrations que l'on a en main. Ces erreurs, plusieurs généalogistes les répètent encore aujourd'hui, oubliant que rien ne peut égaler la photographie dans l'illustration d'une biographie. À ce propos, rappelons que si nous ne sommes pas auteur de ces photographies, il faut mentionner le nom de ceux qui ont eu l'amabilité de nous les prêter, et toujours avoir eu au préalable les autorisations nécessaires.

Sans trop nous étendre sur le sujet, mais à titre d'exemple, voici quelques suggestions. Nous avons parlé plus haut des renseignements utiles à connaître pour rédiger la biographie d'un ancêtre. La personne dont nous écrivons la vie a vécu dans un milieu donné et à une époque précise. De ce milieu et de cette époque plusieurs choses subsistent, qui peuvent aider à concrétiser davantage le texte.

Comme on pourra le constater dans ces pages, les sujets d'illustration d'une biographie d'ancêtre ne manquent pas. C'est à chacun d'user d'imagination pour les bien utiliser car rien ne peut rendre plus vivant un ouvrage de ce genre. On trouvera d'ailleurs d'excellents exemples de biographies ancestrales dans les revues des sociétés de généalogie, ainsi que dans le *Bulletin de recherches historiques*.

(Collection de l'auteur).

Maison de style normand, à Saint-François de l'Île d'Orléans. Nos ancêtres ont habité semblables demeures.

(Collection de l'auteur).

Le port de la ville de La Rochelle en Aunis. C'est à cet endroit que se sont embarqués pour la Nouvelle-France la majorité de nos ancêtres.

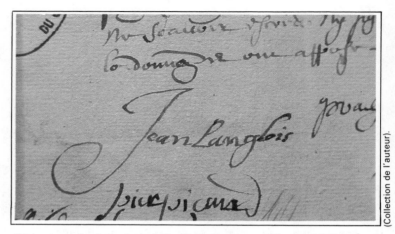

(Collection de l'auteur).

Signature de Jean Langlois dit Boisvertun (16   -1687).
Charpentier de navire, fils de Noël Langlois, ancêtre de l'auteur.

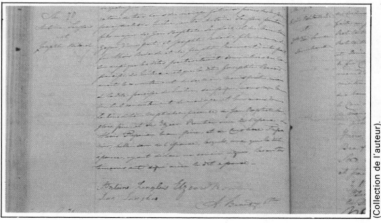

(Collection de l'auteur).

Acte de mariage d'Antoine Langlois et de Josephte Bédard, arrière-grands-parents de l'auteur.
Registre d'état civil.

(Collection de l'auteur).

Fonds baptismaux de l'église Saint-Astier au Périgord, lieu de naissance de François Dupuis dit Jolicœur, ancêtre de Réjeanne Dupuis épouse de l'auteur.

(Archives nat. du Québec coll. Livernois).

Les équarisseurs.
Un métier pratiqué par un bon nombre de nos ancêtres.

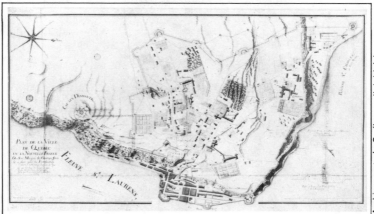

(Archives nat. du Québec, coll. initiale).

Plan de la ville de Québec en Nouvelle-France où sont marqués les ouvrages faits et à faire pour la fortification par le Sr de Villeneuve, Ingénieur du Roy. Québec 1693.

(Collection de l'auteur).

Vitrail de l'église de Mortagne au Perche, illustrant le départ de Pierre Boucher, premier gouverneur de Trois-Rivières, pour la Nouvelle-France.

(Collection de l'auteur).

**Antoine Langlois,
arrière-grand-père de l'auteur.**

(Collection de l'auteur).

**Joséphine Bédard,
arrière-grand-mère de l'auteur.**

SEIGNEURIE DES ÉBOULEMENTS

1683, PIERRE DE LESSART.
1710, PIERRE TREMBLAY.
1810, PIERRE DE SALES LATERRIÈRE.
1947, LES FRÈRES DU SACRÉ-COEUR.

HOMMAGE DES ANCIENS ÉLÈVES
DES FRÈRES DU SACRÉ - COEUR,
QUARTIER LIMOILOU, QUÉBEC. 1973.

(Collection de l'auteur).

Monument commémoratif de la seigneurie des Éboulements, autrefois propriété des Tremblay.

(Collection de l'auteur).

Saint-Astier au Périgord, lieu d'origine de François Dupuis dit Jolicœur.

(Collection de l'auteur).

**Terre de l'Île d'Orléans.
Paysage familier à nos aïeux.**

(Collection de l'auteur).

Moulin à vent de l'île-aux-Coudres.
Le moulin banal était avec l'église un des lieux les plus fréquentés par nos aïeux.

6.
QUELQUES PROBLÈMES...
ET LEUR SOLUTION

Il est bien évident qu'on ne peut s'adonner à de longues recherches en généalogie sans rencontrer à l'occasion des difficultés de plus ou moins grande importance. Certaines proviennent du fait qu'un acte que l'on recherche a disparu ou qu'une erreur s'y est glissée, ou encore que sa lecture s'avère très difficile.

ACTE INEXISTANT, SURNOM ET CHANGEMENT DE NOM

Il arrive assez fréquemment dans nos recherches que nous constations la disparition d'un acte. Ainsi, supposons que nous avons réussi à retracer l'acte de mariage de nos grands-parents et que nous connaissons le nom de nos arrière-grands-parents. Il nous faut maintenant retracer le mariage de nos arrière-grands-parents. Nous avons consulté le répertoire de mariages et les registres où nous pensions trouver ce mariage, mais il ne s'y trouve pas. Il faut en déduire que nos arrière-grands-parents ne se sont probablement pas mariés à cet endroit. On se mariait habituellement dans la paroisse de la future.

Pour retracer le mariage de nos arrière-grands-parents, il nous faudra faire le tour des différents répertoires de mariages. En ce cas, nous devons procéder d'une façon systématique en dépouillant d'abord tous les répertoires de la région où nos arrière-grands-parents devraient s'être mariés et ensuite ceux des régions voisines. En procédant de cette façon, nous trouverons probablement le mariage que nous cherchons.

Si nous ne le trouvons pas après avoir épuisé tous les répertoires de mariages publiés, il est probable que nos arrière-grands-parents se sont mariés dans une paroisse dont le répertoire n'est pas publié. Dès lors, en nous adressant au dépôt des Archives nationales de la région où ce mariage est supposé avoir eu lieu, s'il s'agit d'un mariage antérieur aux cent dernières années, ou au dépôt des Archives civiles, si ce mariage a été célébré au cours des cent dernières années, on sera sans doute en mesure de retracer le mariage en question. On trouvera en annexe les adresses de ces différents dépôts.

Après toutes ces démarches, si le mariage demeure introuvable, il ne faut pas s'avouer vaincu pour autant car cet acte de mariage existe probablement quelque part. N'est-ce pas le défi de la généalogie de retrouver ce qui est réputé introuvable? Plusieurs raisons peuvent entrer en ligne de compte, qui expliquent pourquoi nous n'avons pas retracé ce mariage.

Tout d'abord, le mariage peut fort bien avoir eu lieu ailleurs qu'au Canada. Qu'on songe aux milliers de Québécois qui se sont mariés aux États-Unis ou ailleurs. En ce cas, les recherches se compliquent si nous n'avons aucune idée quant à l'endroit où ce mariage peut avoir eu lieu. Ce fait n'est pas nécessairement un empêchement à la continuation de notre lignée ancestrale, car nous avons beaucoup d'autres moyens de contourner l'obstacle, ne serait-ce que de retrouver le contrat notarié. Nous y reviendrons plus loin.

Le mariage en question peut s'avérer introuvable pour d'autres raisons. Un surnom ou un changement de prénom peuvent être à l'origine de toute cette confusion. Illustrons le tout par des exemples.

En généalogie, les surnoms et changements de noms causent de nombreux problèmes. On en vient vite à savoir que si on est un Lapointe, notre ancêtre peut être Nicolas Audet dit Lapointe; si on est un Aubin, notre ancêtre n'est pas nécessairement Michel Aubin, mais peut être Aubin Lambert; si on est un Dalphond, notre ancêtre est Robert Boulé, dont un des descendants, fils d'Alphonse Boulé, a changé son nom de famille en Dalphond, sans doute en souvenir du prénom de son père.

Quand on débute en généalogie, n'étant pas familier avec tous ces surnoms, on oublie facilement que nos difficultés peuvent précisément provenir d'un cas semblable. Donnons un exemple. Une personne voulait établir sa lignée directe. Elle avait trouvé la filiation suivante: Michel Bilodeau marié vers 1770 à Marie-Anne Provençal, vraisemblablement dans la région de Québec ou aux environs. Après avoir effectué des recherches aux différents répertoires de mariages de la région, elle ne trouvait aucun mariage correspondant à ces noms. Par contre, elle retraçait un Michel Bilodeau, fils de Jacques Bilodeau et Angèle Boutin, marié à Berthier le 4 novembre 1771 à Marie-Anne Carbonneau, fille de Jacques Carbonneau et Anne Chartier.

Effectivement, il s'agissait bel et bien du mariage qu'elle recherchait, car les Carbonneau portent également le surnom de Provençal.

Il arrive fréquemment qu'un chercheur ne retrace pas un mariage parce qu'il se bute à un changement de prénom. C'est le cas dans le mariage suivant: au registre de Saint-Jean-Baptiste-de-Québec, le 16 septembre 1912, on trouve le mariage d'Odilon Godbout, fils de feu Jean-Baptiste Godbout et feue Philomène Déry, à Antonia Gosselin. Si on cherche dans la région de Québec le mariage de Jean-Baptiste Godbout et Philomène Déry, on ne trouve aucun couple portant ces noms. Par contre, à la paroisse de Saint-Roch-de-Québec, le 7 septembre 1870, on constate qu'un nommé Charles-Olivier Godbout a épousé une Marie-Philomène Déry.

Si nous allons voir au registre, l'époux porte bien les prénoms de Charles-Olivier. Comment nous assurer alors s'il ne s'agirait pas du mariage que nous cherchons? La solution est fort simple. Voyons qui a signé l'acte. Nous trouvons les signatures de Marie-Philomène Déry, Jean Godbout, Michel Déry, Ambroise Godbout et F.X. Plamondon ptre. Il n'y a pas de Charles-Olivier Godbout. L'époux signe simplement Jean Godbout, et il s'agit bel et bien du Jean-Baptiste Godbout que nous cherchions. Pour être plus certain que Charles-Olivier Godbout et Jean-Baptiste Godbout ne sont qu'une seule et même personne, nous avons une autre possibilité. Nous retraçons le baptême du premier enfant de ce couple, Marie-Florida, baptisée à Saint-Roch-de-Québec le 19 juillet 1871. À cet acte, le père signe bien Jean et, d'ailleurs, il y est identifié comme tel. On retrouve comme parrain de l'enfant le grand-père de ce dernier, Michel Déry, qui signe de la même écriture que comme témoin au mariage de son fils Jean. Comment expliquer cette confusion? Deux explications demeurent plausibles, un changement effectif de prénom ou une distraction du prêtre qui rédigea l'acte.

Comme on peut le constater, des erreurs similaires peuvent se produire au sujet de mariages que nous cherchons et cela explique pourquoi nous ne retrouvons pas certains actes.

Un autre facteur peut créer un problème dans nos recherches et nous empêcher de retracer un acte de mariage. En effet, il arrive assez fréquemment que, pour une raison ou une autre, les noms des parents des conjoints ne sont pas inscrits à l'acte. Comment alors continuer notre filiation? Comme dans le cas d'absence d'actes effectivement disparus ou introuvables, l'omission des noms des parents des conjoints à l'acte de mariage constitue un obstacle sérieux à la continuation d'une lignée. Mais heureusement, nous ne sommes pas au bout de nos ressources.

Nous n'avons pas repéré l'acte que nous cherchions, ou encore le curé a oublié d'inscrire les noms des parents des conjoints. Comment alors trouver les noms manquants pour continuer notre ascendance? Il y a plusieurs façons de procéder, mais cela nous demandera plus de patience. La méthode la plus sûre est de retracer le contrat de mariage du couple en question. En effet, si l'acte de mariage est disparu, ou si le curé a omis de mentionner le nom des parents de ce couple, le notaire, lui, n'a probablement pas commis la même erreur.

Où trouver ce contrat de mariage? S'il est antérieur aux cent dernières années, il y a de fortes chances qu'il se trouve au dépôt des Archives nationales de la région où le mariage est supposé avoir eu lieu. Si le mariage a eu lieu dans les cent dernières années, on le trouvera probablement chez un des notaires exerçant dans cette région et il faudra verser les honoraires pour en obtenir copie. Signalons en passant que si on doit faire des recherches aux greffes des notaires ayant exercé au 18e siècle en particulier, il faut s'armer de patience, car très peu de ces greffes sont indexés.

Retracer le contrat de mariage constitue donc une solution efficace à nos problèmes, mais il arrive que des couples n'ont pas passé de contrat de mariage. Quoi faire alors? Doit-on abandonner les recherches? Non pas, car il existe encore plusieurs possibilités de retracer le mariage en question.

La filiation par le baptême

On peut retracer la filiation d'une personne en trouvant son acte de baptême. Reprenons notre exemple. Supposons que nous recherchons la filiation de notre arrière-grand-père qui se nomme Joseph Voyer et qui s'est marié en 1870 à Notre-Dame-de-Québec. On peut consulter les registres de Notre-Dame-de-Québec. Si au préalable on a retracé son acte de sépulture, l'âge qui y est indiqué au décès peut nous orienter rapidement sur sa date approximative de naissance. Si ce Joseph Voyer y a été baptisé, on trouvera son baptême et du même coup sa filiation. Dans le cas présent, il faudrait vérifier entre 1820 et 1855 environ puisqu'il se marie en 1870. Cependant, on risque de faire erreur car il peut y avoir deux et même trois Joseph Voyer qui ont été baptisés à Québec au cours de ces années.

Comment nous assurer qu'il s'agit du bon Joseph Voyer ? En recherchant le baptême de ce dernier, il faudra avoir pris soin de noter également ceux de ses frères et sœurs. Ayant toutes ces informations en main, on cherche ensuite aux registres de Notre-Dame ou à ceux de la paroisse où ce dernier a vécu les baptêmes de ses enfants en notant le nom de leurs parrains et marraines. Habituellement, les parrains et marraines des premiers enfants d'un couple sont leurs grands-parents ou leurs oncles et tantes et cela est ordinairement spécifié au registre. Par comparaison avec les noms des frères et sœurs de notre homme, on peut savoir de façon certaine si on est en présence du bon Joseph Voyer, et dès lors on a sa filiation. D'ailleurs les mariages de ses frères et sœurs peuvent également nous permettre de retracer sa filiation.

La filiation par les recensements

Si, par le baptême ou le mariage des frères et sœurs, on n'a pas encore réussi à trouver les parents de notre homme, on peut encore avoir recours aux recensements. Ce moyen de retracer une filiation s'avère cependant moins certain. C'est pourquoi il ne devrait être employé qu'en désespoir de cause. Dans la bibliographie, on trouvera une liste des recensements et des endroits où ils peuvent être consultés. En quoi peuvent-ils être utiles dans la recherche d'une filiation ? Reprenons l'exemple précédent. Puisque les recensements donnent ordinairement les nom et âge des personnes qui habitent une région précise à une époque donnée, on trouverait sans doute à Québec ou dans les environs, aux recensements de 1861 et 1851, un Joseph Voyer âgé d'environ 15 ans en 1861 et 5 ans en 1851, et on aurait également les noms de ses parents et de ses frères et sœurs. Dès lors, on serait bien documenté pour vérifier si ce Joseph Voyer est bien celui que nous cherchons. À cette fin, on pourrait consulter les actes notariés qui le concernent et ceux qui touchent ses parents, notamment le partage des biens entre lui et ses frères et sœurs.

Si après toutes ces démarches on n'obtient pas de résultats positifs, il y aurait alors toujours la possibilité de s'adresser à un spécialiste en généalogie qui pourrait sans doute parvenir à solutionner le problème.

Ces problèmes d'absence d'actes, d'omission de filiation, de surnom, de changement de nom ou de prénom ne sont pas les seuls qu'un chercheur peut rencontrer. L'erreur en généalogie, parce que moins perceptible, donne lieu souvent à des problèmes particulièrement difficiles à résoudre.

LES ERREURS EN GÉNÉALOGIE

La généalogie est une science exigeante qui n'admet pas l'à peu près. Celui qui s'y adonne doit être prudent, méticuleux et perspicace, puisqu'il risque à chaque instant de tomber dans les pièges tendus par certains individus moins respectueux de la vérité ou tout simplement distraits lors de la rédaction d'un texte ou même d'un acte. Quand on joue avec des chiffres et des dates, il faut sans cesse vérifier et revérifier car une erreur se glisse facilement et devient par la suite très difficile à corriger.

À la décharge de nos prédécesseurs, il faut bien dire que ce sont des erreurs involontaires que nous rencontrons le plus souvent. Elles sont de différentes sortes. Nous parlerons ici de celles qui concernent l'identification des personnes, des lieux et des dates. Ensuite, nous parlerons des erreurs volontaires.

Erreur d'identification des personnes

Quand on commence des recherches en généalogie, on doit toujours consulter d'abord les sources imprimées et ensuite les sources manuscrites. Il est évident qu'en procédant ainsi, on perd beaucoup moins de temps et on ne risque pas de refaire un travail déjà exécuté. On met cependant sa confiance entre les mains de gens qu'on ne connaît pas et dont on a droit de se méfier. En effet, qu'est-ce qui nous prouve que l'auteur qui a fait des recherches sur notre ancêtre avant nous est un chercheur méticuleux et honnête, n'affirmant jamais rien sans avoir tout vérifié aux sources? Voilà pourquoi il est toujours bon d'être méfiant quand quelque chose ne semble pas certain dans ce qu'on a écrit sur notre ancêtre, ou quand au contraire tout semble trop certain.

Sur ce, donnons des exemples. Au début de mes recherches en généalogie, je me suis rendu compte qu'il y avait des contradictions flagrantes entre les auteurs quant à l'identification, le lieu d'origine et la date de naissance de certains ancêtres dont le mien, Noël Langlois.

Tous ceux en effet qui commencent leur généalogie utilisent d'abord un auteur qui a rendu possible la généalogie chez nous, Monseigneur Tanguay. Loin de moi l'idée de faire le procès de Tanguay et de son *Dictionnaire généalogique*. Ce chercheur a trop de mérite et nous a rendu de trop grands services pour que nous puissions le décrier. Toutefois, il faut être conscient des lacunes de son œuvre. Au début de mes recherches en généalogie, personne ne m'en avait prévenu. Aussi, me fiant les yeux fermés à Mgr Tanguay, je me fourvoyai bel et bien en attribuant à mes ancêtres des enfants qui ne leur appartenaient pas! S'ils avaient eu leur mot à dire là-dedans, sans doute qu'ils n'auraient pas été du même avis que moi... C'est ainsi que du deuxième mariage de Noël Langlois, je fis naître, à la suite de ce que disait Tanguay, une Marie-Anne Langlois.

Je fis également se marier en secondes noces Clément Langlois, alors qu'il était déjà mort depuis quelques années! C'est l'excellent chercheur de la famille Langlois, Léon Roy, qui remit tout en place en me faisant parvenir les corrections appropriées à ma lignée directe. À compter de ce moment, je décidai de ne jamais plus me fier à personne dans mes recherches, même pas aux monseigneurs, fussent-ils évêques ou prélats domestiques.

Ce type d'erreur, une mauvaise identification des personnes, est très fréquent. Pour en donner un autre exemple, je me servirai encore de mon ancêtre, car je pense que c'est un cas type. En 1854, dans son volume intitulé *Notes sur les registres de Notre-Dame-de-Québec*, l'abbé Ferland est le premier à dire de Noël Langlois qu'il est pilote du Saint-Laurent. Mgr Tanguay, dans son *Dictionnaire généalogique*, écrit : Noël Langlois, pilote. Ils furent suivis en cela par nombre d'auteurs dont Dionne, dans son œuvre sur Champlain, et Sulte, dans son *Histoire des Canadiens français*. Même H.C. Burleigh, dans le *Dictionnaire biographique du Canada*, déclare Noël Langlois pilote du Saint-Laurent.

Après tout ce monde-là, il faut avoir du front pour affirmer que Noël Langlois n'était pas pilote de navire! Et pourtant c'est la vérité, car dans aucun acte concernant Noël Langlois, et il y en a une bonne vingtaine, il n'est fait mention qu'il soit pilote. De plus, Noël Langlois ne sachant ni lire, ni écrire, comment alors aurait-il pu être pilote de navire puisque c'est précisément le pilote qui, sur chaque navire, tenait le livre de bord? Alors d'où provient l'erreur? De deux sources, je crois.

Le 2 mai 1631, à Paris, la Compagnie de la Nouvelle-France était condamnée à payer des dommages-intérêts à Raymond de la Ralde, Langlois, Nicolas Canut, Michel et Lanouillet pour la perte de trois navires capturés au Canada par les Kirke (Garneau, *Histoire du Canada*, 7e éd. Vol. I, p. 107). Par ailleurs, la *Relation des Jésuites* de 1634 mentionne que le Capitaine de Nesle amenait Giffard et sa famille à Québec sur le vaisseau de l'Anglois. Comme Noël Langlois serait un des colons arrivés avec Giffard en juin 1634, il n'y a qu'un pas à faire pour le confondre avec le Langlois, pilote de navire venu la même année. Ferland s'y est fait prendre, et par la suite, tous les honorables auteurs que nous avons cités. Le Langlois pilote de navire cause de toute cette confusion pourrait avoir été Jean Langlois qui, à ce titre, signe une procuration à Québec en 1653.

Ainsi, un type fréquent d'erreur en généalogie vient du fait que l'on confond souvent deux individus du même nom. Il arrive également qu'une confusion se crée à la suite d'une erreur de lieu. Il vous en vient sûrement à la mémoire.

Erreur de lieu

Là encore, si un auteur ne prend pas le temps d'aller directement à la source, il peut induire en erreur une foule de chercheurs. C'est ainsi que l'abbé Gaulier, dans *Canada, Perche et Normandie* (Vol. II, p. 28) a créé une confusion tenace au sujet du lieu de naissance de Noël Langlois. Il écrivait en effet, pour avoir trouvé son acte de baptême, que Noël Langlois était né à Saint-Léonard de Honfleur en 1606. C'était une excellente découverte. Cependant, elle comportait une grave lacune. En effet, l'acte de baptême en question ne mentionne pas le nom des parents de l'enfant. Par contre, le seul document où il est question du lieu d'origine de Noël Langlois est son contrat de mariage passé avec Marie Crevet, le mercredi 7 juillet 1666, devant le notaire Aubert. On y lit qu'il est originaire de Saint-Léonard, en Normandie, diocèse de Séez. Or, Honfleur fait partie du diocèse de Lisieux. Ainsi, par manque d'une information précise, l'abbé Gaulier venait de commettre une erreur de lieu.

Ce genre d'erreur, même les plus grands généalogistes s'y sont fait prendre. Il est vrai que le Père Godbout, dans le cas que nous allons citer, est bien pardonnable, car son erreur vient du fait que l'ancêtre en question a mentionné comme lieu d'origine un endroit qui n'était pas précisément le sien. C'est ainsi que le Père Godbout en est venu, dans *Nos Ancêtres*, à faire de deux individus différents une seule et même personne. Une erreur de lieu fut cause de cette confusion entre deux personnes.

C'est par hasard, en consultant une cause de La Prévôté de Québec, que je découvris l'erreur. Il y avait bel et bien deux Julien Allard en Nouvelle-France en 1665, l'un qui habitait Château-Richer et l'autre la région de Montréal (voir à ce sujet les *Mémoires de la Société généalogique canadienne-française*, Vol. XXV pp. 32ss).

Erreur de date

C'est la plus fréquente à laquelle le généalogiste est exposé. Elle est la plupart du temps involontaire et causée par une distraction. Une mauvaise date dans les sources imprimées peut provenir d'une mauvaise typographie, ou d'une distraction de l'auteur, ou encore d'une mauvaise lecture d'un acte. Ce type d'erreur peut se rencontrer même dans les sources manuscrites, soit encore par distraction involontaire ou même volontaire.

Sans nous étendre trop longuement sur ce genre d'erreur, signalons-en simplement une qui nous a donné passablement de fil à retordre et qui avait comme auteur (encore une fois!) un des grands chercheurs de la petite histoire, Édouard-Z. Massicotte.

Ce dernier, dans sa *Liste des colons de Montréal*, (BRH), mentionnait en effet toute une série de gens confirmés le 11 juillet 1664. Voulant effectuer une recherche sur les ancêtres venus au pays en 1664, et possédant par ailleurs une copie du *Registre des Confirmations*, je me rendis compte que la date donnée par Massicotte ne correspondait pas à celle du registre. Y avait-il sur la liste des confirmations conservée à Montréal et consultée par Massicotte une date différente de celle du *Registre des Confirmations* conservé aux Archives de l'Archevêché de Québec? Tant que je n'avais pas réponse à cette question, il me devenait impossible de continuer ma recherche.

Je vérifiai une première chose: Mgr de Laval était-il à Québec en 1664? Grâce aux *Jugements et délibérations du Conseil souverain*, j'appris que Mgr de Laval était à Québec en juillet. Il y avait donc une erreur dans la date mentionnée par Massicotte. J'eus le fin mot de l'histoire quand je découvris une lettre de Massicotte écrite au Père Godbout, dans laquelle il disait : « J'ai fait erreur en écrivant 11 juillet d'après l'avis de M. Lapalice. Je m'en suis aperçu trop tard... Mgr de Laval confirme le 11 may et non en juillet (sic). » (*Correspondance du Père Godbout*).

L'erreur volontaire pour cacher certains faits qu'on veut garder secrets

Il est évident que le motif qui donne naissance à ce genre d'erreur est très louable. Certains curés l'ont fait à qui mieux mieux, surtout quand il s'agissait de naissances hors du mariage. Mgr Tanguay, dans son *Dictionnaire Généalogique*, a dû dans ce but faire des tours de passe-passe que lui envieraient certains prestidigitateurs. Mais notons qu'il y était aidé par de nombreux curés. Il y a même certains actes de mariage qui ont disparu mystérieusement des registres à cause de cela. Nos ancêtres étaient des hommes et des femmes comme nous. Il leur est arrivé de faire l'amour en dehors du mariage et comme la pilule n'existait pas à l'époque, les résultats ne se faisaient pas attendre, ou plutôt ils se faisaient attendre neuf mois. Nous donnerons un seul exemple pour illustrer ce genre d'erreur ou d'oubli volontaire.

Si on prend le *Dictionnaire Tanguay* au Tome IV, p. 567, on lit tout au bas de la page : « Louis... b... m à Madeleine Blanchet ». À la page suivante, on trouve « Louis Isabel, fils d'Adrien Isabel, b... marié à Madeleine Blanchet ».

Pourquoi ne trouve-t-on pas le baptême de Louis Isabel, non plus que l'endroit et la date de son mariage ? Il pourrait y avoir plusieurs raisons à ces omissions, mais l'unique et vraie raison à ce que nous avons pu constater, c'est que Louis Isabel était un fils naturel d'Adrien Isabel ; pour cacher la chose, on fit disparaître les preuves à conviction. Tanguay ne put alors les retracer. Son omission ici n'est donc pas volontaire, mais celle des curés du temps l'était. Si les curés avaient réussi à bien cacher la chose, les notaires, moins scrupuleux, nous la révèlent dans les actes qui concernent cet individu.

L'erreur volontaire par un trop grand désir de bien faire

On pourrait donner un autre titre à ce type d'erreur volontaire. C'est en fait l'erreur due à un manque de souci de l'exactitude historique.

Il est fréquent chez certains auteurs du siècle dernier et en particulier chez Tanguay. Ce dernier, en effet, dans son trop grand désir de rattacher tout le monde à quelqu'un, biaisa parfois la vérité historique et, sans doute avec quelques remords, rattacha des personnes à des gens qui n'étaient ni leur père ni leur mère.

On pourrait en donner de multiples exemples. On se bornera à n'en donner qu'un. Si on prend le tome I, p. 531, on trouve:

I – *Roussin, Jean, de Tourouvre au Perche (2)* et en note: *le nom de la mère manque au registre.* Puis un peu plus loin: 1655, (28 octobre) Québec [2].

II – *Roussin, Jean, tonnelier (Jean I.)*
Letard, Marie
Jean, b 1656; s[2] 22 juin 1688.

Qu'y a-t-il d'exact ou d'inexact dans ces lignes? Pour le découvrir, il nous faut aller aux sources. Ici nous possédons deux indications importantes: la date de mariage de Jean Roussin, tonnelier, avec Marie Letard, et celle du décès de Jean, inhumé à Québec le 22 juin 1688.

Si l'on consulte ces sources, qu'y découvre-t-on? À l'acte de mariage de 1655, on constate que la filiation des époux n'est pas mentionnée. Tanguay, à moins d'avoir consulté le contrat de mariage de ces derniers, ne pouvait donc pas les rattacher à qui que ce soit. Pourtant, il dit de ce Jean Roussin, marié à Marie Letard, qu'il est le fils de Jean Roussin I.

Si nous allons ensuite à la sépulture de Jean fils de Jean et de Marie Letard, en 1688, on constate également que la filiation n'est pas mentionnée. L'acte se lit comme suit: «*Le vingt deuxième jour du mois de juin de l'an mil six cent quatre vingt huit, a esté inhumé par moy françois Dupré Curé de Québec, Jean Rousson tonnelier âgé de trente cinq ans, au cimetière de Québec après avoir reçu les sacrements de pénitence et extrême-onction et ont assisté à son inhumation Toussaint dubaus et Joseph Pinguet qui ont signé ».*

Toussaint du bau   *Joseph Pinguet*
françois Dupré

    Si nous voulons tout remettre en place, il nous faut savoir que Jean Roussin I s'était marié en premières noces à Tourouvre en 1622 avec Madeleine Giguère, et qu'il se maria en deuxièmes noces à Québec le 28 octobre 1655 avec Marie Letard, dont il n'eut pas d'enfants. Jean Roussin et cette dernière passèrent un contrat de mariage en 1664 devant le notaire Vachon, le 23 juillet, presque 10 ans après leur mariage. On les retrouve d'ailleurs au recensement de 1681 (Sulte V, p. 83b) à la petite Auvergne. Jean Roussin est alors dit âgé de 84 ans et son épouse, Marie Letard, de 86 ans. Jean Roussin décédait quelque temps plus tard puisque le 6 avril 1682 son fils Nicolas, issu du premier mariage de Jean Roussin, passait une constitution de rente avec Marie Letard, veuve de Jean Roussin, devant le notaire Vachon.

    Quant au Jean Roussin que Tanguay dit être fils de Jean Roussin et Marie Letard, il l'avait à tort relié à ce couple. À preuve, il ne connaissait pas la date de son baptême, et de plus à sa sépulture on ne mentionnait pas le nom de ses parents. Deux détails nous prouvent que Tanguay a interprété cet acte de sépulture. Tout d'abord il qualifie Jean Roussin II de tonnelier; on remarquera que le métier du défunt, à l'acte de sépulture, est celui de tonnelier, et à l'acte de mariage, il n'y a aucun métier de mentionné. De plus, à la sépulture de Jean Roussin, en 1688, on mentionne qu'il était âgé de 35 ans, ce qui reporte sa naissance à 1653. C'est ce qui fait que Tanguay lui attribue comme parents Jean Roussin et Marie Letard, bien qu'ils ne se soient mariés qu'en 1655.

L'erreur volontaire dans le but de faire de l'argent

C'est sûrement l'erreur la plus grave qui puisse se commettre en généalogie. D'ailleurs, un généalogiste digne de ce nom ne se permettrait pas, même si ça devait lui apporter un montant d'argent intéressant, de fausser la vérité. À l'appui de ce que nous venons de dire, nous citerons un seul exemple démontrant combien certains prétendus généalogistes n'hésitent guère à contourner la vérité quand il y a de l'argent à gagner.

Alors que j'étais étudiant, des amis m'avaient demandé de dresser leur arbre généalogique. Je commençai aussitôt à établir leur lignée directe. À peine arrivé à l'arrière-grand-père, j'étais complètement arrêté sans pouvoir aller plus loin. Ce dernier, en effet, était un fils naturel. Au registre de baptême, on n'avait pas mentionné le nom du père. J'eus beau chercher par tous les moyens à connaître le nom des parents de cet enfant, les actes étaient muets à son sujet. Même silence, plusieurs années plus tard, au mariage de ce dernier et à son contrat de mariage. Dès lors, il s'avérait inutile d'aller plus loin. Mes amis s'étant informés où j'en étais dans leur généalogie, je leur dis que je n'avais pas eu le temps encore de la leur faire. Ce que voyant, ces derniers s'adressèrent à un institut généalogique de Montréal. Non seulement, pour $500, obtinrent-ils leur lignée directe, mais ils apprirent même qu'ils descendaient d'une famille royale de Belgique, qu'ils avaient des armoiries dont ils pourraient obtenir un blason pour $200, qu'ils étaient de plus parents avec Madeleine de Verchères, le frère André, la chanteuse Albany et une couple de cardinaux...

Décidément, ils venaient d'un seul coup de gagner le gros lot, le tout pour la modique somme de $500! Ne nous attardons pas davantage sur cet exemple malheureusement trop souvent répété.

L'erreur volontaire liée à un trop grand désir de noblesse ou d'origine illustre

C'est ce dernier genre d'erreur volontaire qui me semble le plus fréquent ou du moins qui l'a longtemps été. Les généalogistes sont des gens amoureux de leurs ancêtres et désirent réellement que ces derniers soient issus de nobles familles ou tout au moins de familles respectables. Certains, déçus de découvrir que leur premier ancêtre au Québec n'était qu'un simple cultivateur, se sentent frustrés et tentent de lui trouver quelques titres enviables. C'est ainsi qu'il y eut une vogue, il y a quelques années, faisant de tous les ancêtres arrivés vers 1665 des soldats du régiment de Carignan. Il n'y avait d'ailleurs pas tellement à se glorifier de ce fait, mais à défaut de pain on se contente de galettes. C'est ce que plusieurs firent. Comme j'ai effectué, il y a quelque temps, des recherches assez poussées sur ce fameux régiment de Carignan, j'ai pensé prendre l'exemple de cette recherche pour préciser quelles démarches doivent effectuer ceux qui veulent savoir si leur ancêtre était du régiment de Carignan.

Il faut d'abord savoir qu'il n'existe aucune liste officielle des personnes qui vinrent sur nos rives à titre de soldats de Carignan. Dès lors, on ne peut affirmer d'aucun ancêtre qu'il en faisait partie sans en avoir dûment trouvé la preuve dans les actes officiels de l'époque. Pour ce faire, les démarches sont loin d'être simples.

Quelles démarches précises quelqu'un dont l'ancêtre arriva vers 1665 devrait-il faire pour parvenir à savoir si son ancêtre était soldat du régiment de Carignan? D'abord s'assurer qu'il n'y a pas mention de lui dans les actes notariés, les actes d'état civil, les listes de confirmations, etc. avant 1665. C'est le cas, par exemple, de Nicolas Audet, qu'on a identifié comme soldat de Carignan. Puis voir si son nom figure aux recensements de 1666 et 1667. S'il y figure, il ne peut pas être soldat de Carignan puisque, selon l'intendant Talon, les soldats ne furent pas recensés (cf.

RAPQ 1930-31, p. 93). C'est le cas, par exemple, d'Étienne Blanchon dit Larose, qu'on a prétendu être de ce régiment bien que son nom soit mentionné aux recensements.

Si cette recherche par élimination ne donne pas de résultat, il faut rechercher dans les actes notariés, les actes d'état civil, les causes en justice, etc., si cet ancêtre n'est pas spécifiquement identifié comme soldat. Ce n'est qu'à cette condition qu'on peut dire d'un ancêtre qu'il est soldat de Carignan.

Voilà donc un exemple bien précis de ce qui peut justifier quelqu'un d'affirmer que son ancêtre était de ce régiment. Sinon, il faut s'abstenir, à moins de tenir à faire une erreur volontaire dans le but de qualifier son ancêtre de ce qu'il n'était pas, car on ne peut sous aucun prétexte procéder par des affirmations gratuites en généalogie.

LA LECTURE DES ACTES ANCIENS

Un des problèmes majeurs auxquels se voit confronté tôt ou tard tout chercheur en généalogie vient de la difficulté de lecture des actes anciens.

En tant que généalogistes désireux d'en connaître plus long sur nos aïeux, nous nous devons de référer sans cesse aux documents originaux. Quel genre de documents anciens sommes-nous surtout appelés à déchiffrer? Les documents les plus consultés par les généalogistes sont sans contredit les actes d'état civil. Leur lecture peut paraître à prime abord difficile, mais quand on sait que des règles strictes régissaient et régissent encore la rédaction de ces actes, on a en main tout ce qu'il nous faut pour solutionner la moitié de nos problèmes de lecture. En effet, que trouve-t-on ordinairement dans un acte de baptême, mariage et sépulture? Nos registres paroissiaux ayant été en général bien tenus, on y trouvera normalement ce qui suit:

Dans un acte de baptême: La date du baptême, celle de la naissance, le lieu de l'un et l'autre, le nom de l'enfant, la mention de son sexe, de sa légitimité, le nom des parents, la profession du père, le domicile des parents, le nom des parrain et marraine, leur lien de parenté avec l'enfant baptisé, le cas échéant la signature du père, des parrain et marraine, ainsi que du célébrant et la mention du fait que certaines de ces personnes ne savaient pas signer;

Dans un acte de mariage : La date du mariage, le lieu du mariage, la publication ou dispense de bans, les dispenses d'empêchement ou l'absence d'empêchement, le nom des époux, leur âge, majorité ou minorité, leur état matrimonial, la profession de l'époux et le domicile des époux, le nom des parents, le nom du conjoint défunt dans un cas de veuvage, la profession du père, son lieu de domicile, le nom des témoins, leur profession, leur parenté avec les époux et leur domicile, la signature des parties, des témoins et du célébrant, ou la mention de la non-signature le cas échéant;

Dans un acte de sépulture : La date du décès, celle de la sépulture, le lieu du décès et de la sépulture, le nom du défunt, son sexe, son âge, son état matrimonial, sa profession, son domicile, le nom des parents, le nom de l'époux(se), la profession du père, celle de l'époux, le domicile, le nom des témoins, leur parenté avec le défunt, leur signature et celle du célébrant, ou la mention de la non-signature le cas échéant.

Voilà donc brièvement ce que l'on trouve dans ces différents actes de baptême, mariage et sépulture. Pour en connaître plus long sur ce sujet, nous vous recommandons de lire l'article de Gérard Bouchard et André Larose dans la *Revue d'histoire de l'Amérique française*, Vol. 30, no 1, 1976, pp. 67 à 84, intitulé «La réglementation du contenu des actes de baptême, mariage, sépulture au Québec, des origines à nos jours».

Contenu des actes notariés

Les généalogistes qui poussent leurs recherches plus loin que la simple compilation de noms et de dates sont rapidement appelés à déchiffrer des actes notariés.

Ces actes varient dans leur contenu et leur formulation suivant la raison de leur rédaction. On conçoit facilement qu'un contrat de mariage ne contienne pas les mêmes clauses qu'une vente de terre ou un testament. Aussi est-il bon de connaître les différents types d'actes que l'on peut rencontrer dans un greffe de notaire, et savoir qu'habituellement une formule bien précise était employée dans leur rédaction.

Nous présenterons, dans un chapitre ultérieur, une liste des actes que nous pouvons rencontrer dans un greffe de notaire. Ordinairement, le début et la fin d'un acte notarié, par exemple une concession de terre, ne varient pas. Aussi, en comparant deux actes notariés de deux notaires différents au sujet d'une concession, on constatera qu'à quelques exceptions près la formule du début et celle de la fin ne varient pas.

Sachant cela, et étant au courant du fait qu'il existe des copies dactylographiées d'à peu près tous les types d'actes, un débutant en paléographie sauvera beaucoup de temps en s'inspirant de ces copies dactylographiées.

Dans le but de vous aider dans vos travaux de déchiffrement des textes anciens, nous transcrivons ici des modèles types de différents genres d'actes. Vous avez donc en main ce qu'on pourrait appeler des blancs de copies d'actes suivants : concession de terre, contrat de mariage, don mutuel, inventaire de biens et obligation.

À quelques variantes près, tous les actes de ce genre se ressemblent. Vous êtes donc assez bien outillés pour vous lancer en paléographie.

CONCESSION DE TERRE

Par devant (X) notaire en la juridiction et seigneurie de (X) et tesmoins soubs signés furent present en leurs personnes (X : nom de celui qui fait la concession) lequel a recognüe et confessé avoir volontairement donné et conceddé a tiltre de cens et rente fonciere pour chacun an au jour et feste de (nom de la fête) a (X : nom de celui qui reçoit la concession) a ce present et acceptant pour luy ses hoirs et aiant cause a ladvenir le nombre de (X) arpens de terre de front sur le fleuve St. Laurent a prendre a (nom du lieu) appartenant aud. (nom de celui qui concède) par concession a lui faite par devant (nom du notaire et date de la concession) la dite concession bornée comme sensuit Scavoir dung costé la concession de (X) dautre costé la concession de (X) par devant (X ou) le fleuve St. Laurent par derrière (X ou) les terres non concédées, la ditte concession faicte au dit prenneur a la charge de sy establir davoir feu et lieu sur la presente concession ou Autre pour luy dans ung an d'huy de cultiver les terres et continuer a ladvenir Autrement la presente concession neulle sans dommage et Interest ny mesme restitucyons des despens qu'il y pourroit avoir faict soit pour batir et deserter. De plus La ditte Concession faicte audit (X) moyennant qu'il sest obligé de paier chacque jour et feste de (X) pour chacque arpent de terre de front sur le dit fleuve St Laurent La somme de (X) sols thournois de rente fonciere (X) deniers de cens pour chacun des dis arpens de terre de front seullement et pour la ditte concession (X) chappons vifs le tout par chacun an paiables a (nom de l'endroit) ou autre lieu quy luy sera indiqué les dis cens et rente portent lots et ventes saisies et ammendes selon la coustume de la prevosté et vicomté de paris quand le cas y escherra A la charge de (énumération des différentes charges qui varient selon les concessions) et entretiendra amityé entre les tennants du dit lieu, & sera obligé de se clorre faulte de quoy Il ne pourra pretendre aucun dommages et interets pour les delits que pourroient faire les bestiaux de ses voisyns, et en cas qu'il soit construit un moulin dans la ditte seigneurie Le dit (X) preneur (ou le dit preneur devra apporter moudre ses grains N.B. si le moulin est déja construit) sera obligé dy apporter ses grains moudre, ne pourra le dit (X) au dit nom pescher (si la concession donne sur le fleuve) que sur et vis a vis la presente concession sans le gré et concentement de ses voisyns et en cas de ventes ou alienation se reserve le dit (nom de celui qui concède) la preference et facultés de retirer la ditte concession en remboursant le prix fraix et Loiaux Couts suivant la coustume de la prévosté & vicomté de paris Soubs laquelle le pais est hagy et gouverné, pourront Jouir de la dite concession par le dit (X) luy ses hoirs et ayant Cause a toujours pleinnement et paisyblement en faire & disposer tout ainsy que bon luy semblera Car Ainsy a esté le tout accordé entre les parties promettant & ca obligeant le dit preneur ses biens present et advenir chacun en droit soi renonceant & ca faict & passé en lestude du dit notaire le (date) en presence de (noms des témoins) temoins soubsignés, ayant (X) desclaré ne scavoir escrire ny signer de ce enquis suivant lordonnance.

(Signature) —

CONTRAT DE MARIAGE

Par devant (nom du notaire et ses titres) Furent presents en leurs personnes (nom du conjoint, sa filiation, métier du père, lieu d'origine ou de domicile, nom de la conjointe, sa filiation, métier du père, lieu d'origine).

Lesquelles partyes, en la presence et du consentement de leurs parents et Amis pour ce. Assemblez, de part et d'autres ; scavoir de la part (nom du conjoint, et noms de ses témoins avec leur titre et parenté), parens et Amis dud. futur espoux ; Et de la part de la ditte future espouse (nom des témoins avec leur titre et parenté) Amis communs desd futurs espoux. Reconneurent et Confesserent (ou reconnoissent et Confessent) avoir faict par ensemble les traitez et promesses de mariage qui Ensuive, C'est à Scavoir (le conjoint) Avoir promis, Prendre (la conjointe) comme sa femme et legitime espouse ; Comme aussy lad. future espouse (son nom) Avoir promis prendre, le dit (nom du futur), comme (ou a) son Mary et legitime espoux ; et led. mariage, fé, et Sollemniser, en Ste Église, Catholique, Apostolique et Romaine Le plustost q^{e.} faire se pourra et quil sera advisé, et deliberé Entre-eux, leursd. parens et Amis, si Dieu et n're. Mere Ste Eglise si consentent & Accordent, po^{r.} estre Uns et Communs), en tous biens, meubles & conquets Immeubles, Suivant la Coustume de la prevosté et Vicomté de paris suivie & & gardée en ce pays prendra led. futur espoux, lad' future espouse Avec ses droicts, noms, raisons et Actions en quelques lieux qui soient scys et Scituez et assis Sera douée, lad'future espouse, de la somme de (X) livres, de douaire, prefix, pour une fois payer, a prendre sur les biens, dud. futur espoux, si mieux nayme, se tenir au droict coustumier, Le preciput, sera esgal et Reciproque, et qui a esté Reiglé a la Somme de (X) livres. A les Avoir et prendre par le surviva_{t.} des deux, sur les biens de leur Communauté, suiv_{t.} la prisée del'inventaire, et Sans Creüe, Car Ainsy a esté accordé Entre lesd par^{tyes} Promet & Ca obligeant & ca chacun en droict soy & ca Renoncent & ca faict & passé le (date et lieu du contract) ; en pn'es de (noms des témoins) À ce requis qui ont Signé, Avec les partyes et lesd parens et Amis, a la Réserve de (nom des personnes qui n'ont pas signé), qui ont déclaré ne scavoir escrire ni signer de ce Enquis suivant l'ordonnance.

(Signatures) —

INVENTAIRE DE BIENS

L'an (X) Le (date et heure) a la Req.te de (nom du requérant(e)) et de son époux(se) a cause de la Communauté Entre Lui (ou elle) Et led.t (ou Lad.t) Deffunt (e) que comme Tuteur (ou Tutrice) Des Enfants mineurs dud. t (ou de ladite) Deffunt (e) et de Lui (ou d'Elle) Eleu par Lavis des parens et amis Desd.s mineurs par acte fait Devant Monsieur Le lieutenant General de La Ju^ion royalle de (nom du lieu et date) En La présence de (noms) subrogé tuteur Desd.ts Enfans mineurs, (nom des parents), Et encore en p^nce de (noms des témoins et parentés avec les enfants mineurs) Les dit mineurs a se Dire et porter heritiers de Leurs pere et mere a La Conservations Des Droits des parties Et autres qu'il appartiendra par le no.re soussigné A esté fait Inventaire Et Description fidelle Et Exacte de tous et Chacuns Les Biens meubles Linges Ustancilles de menage, titres papiers Et autres choses Demeurés après le Deces Dud.t (ou de la dite) Deffunt (e) trouvé en la maison du dit (de lad. e) Scittées à (nom du lieu) et par Lui (ou Elle) Représenté après serment par lui (ou Elle) fait Ez mains dud.t no.re de Nen obmettre aucune Chose, Et quil nen A Esté Rien Diverty sous les peines du Droit a Lui ou (elle) Expliqués par L'un (ou Ledit) Desd't. no.re s Lautre present Ledss. Biens meubles et choses sujette a Estimation prisées par les S^r. (X) arbitres nommés par les Parties lesquels apres serment par Eux Presté Ez mains dud^t. no.re ont promis faire Lad.e Estimation En leur ame Et conscience Eu Egard au tems present avec La Crue ou sommes de Deniers selon Et ainsy quil en suit En presence (noms des témoins) qui ont signés avec Lesd^t. (noms des évaluateurs) Et no.re Lesd^t. (noms des personnes qui n'ont pu signer) ont Declaré ne Scavoir Ecrire ny signer de ce Enquis Lecture faite suivant Lord^e.

(Signatures) —

(Suit l'inventaire complet des biens, couvrant souvent plusieurs pages)...

Tous le Contenue Cy Inventoriés au present In.re a Esté du Consente.t des tuteurs et subrogé tuteur Laissé a La Garde Et pocession de (X) Lequel ou (Laquelle) s'en est Volontaire.t chargés et promis Le tous rendre et tenir Compte a qui Et ainsy quil appartiendra En p^nce Desd.t (noms des témoins) temoins qui ont signés avec (noms de ceux qui ont signé) et no.re Les autres susnommés ont Declaré ne scavoir Ecrire ny signer de Ce Enquis Lecture faite suivant Lord.^ce

(Signatures) —

DON MUTUEL

Pardevant Le no.^{re} Royal en la nouvelle france et tesmoins soussignez furent present en leurs personnes (nom du mari) habitant de ce pays et (nom de la femme) sa femme de luy suffisamment autorizée pour leffet des pntes, Lesquels estant sains d'Esprit memoire et entendement ainsy quil est apparu aud no.^{re} et tesmoins considerans la grande amour quil se sont portez Et portent Et les peines Et travaux quil ont souffert pour gagner et conserver les biens, quil a pleu a dieu Leur envoyer voulant de ce recompenser lun lau. afin que le survivant d'eux deux ait meilleur moyen de sentretenir pendant qu'il vivra De leurs bons gres et volontes Recognurent et confesserent avoir fait L'un deux a lau. don mutuel esgal et reciproque de tous et chacuns leurs biens meubles, acquest et conquest Immeubles qui se trouveront tous appartenir aujour du trespas du premier mourant en quelques Lieux que lesd. immeubles soient scituez et assis et lesd. meubles Lieux et terres a quelque valleur quil se puissent monter. Pour en jouir par led survivant a sa Caultion Juratoire, Tous les heritiers du premier mourant voudraient debattre et empescher led. don mutuel en ce cas led premier mourant des a present comme pour lors les a privez et deboutez du droit proffit part et portion qui leur pourait appartenir en tous lesd meubles acquest et conquest immeubles. Voulans et accordant quil soit donnez et aumosnez par le survivant a qui il advisera bon estre, Lequel present don mutuel Lesd mariez ne pourront cy apres revoquer sans le consentemt. L'un de laue. Et pour faire insinuer ses presentes partout ou il appdra dans quatre mois suivant lordonnance lesd maries ont fait et constitué font et constituent leur procureur et porteur auquel Ils ont donne pouvoir de ce faire et d'en requerir acte promettant & obligeant & Renoncant fait et passé (endroit, maison et date) present (noms des témoins) tesmoins et ont lesd mariez declaré ne scavoir escrire n'y signer de ce enquis suivnt. Lordonnance.

(Signatures) —

OBLIGATION

Par devant (X) notaire (ses titres) et tesmoins soubs signés fut p̄nt en sa personne (X) habitant dem̄t à (nom du lieu) Lequel a Confessé debvoir bien et Loyaument a (nom du prêteur, métier et lieu de résidence) la somme de (X) livres (X) sols et (X) deniers tournois pour vente et achat de (raisons de l'emprunts) de marchandises a luy vendue et livrées dont il a dit sen tenir a comptant (ou content) quil promet rendre et payer Icelle some de (X) livres (X) sols (X) deniers tournois aud. Sieur creancier ou au porteur dans la feste de (X) prochainement venant de l'année que l'on comptera (année) en argent ou bon Castor mac. ant *promettant & ca obligeant & ca corps et biens pñt et advenir renonceant & ca fait et passé a (endroit) en lestude du notaire susdit et soubs signé le (date) en pñce de (noms des témoins) tesmoins soubs signez, et a led. (X) declaré ne scav signer de ce interpellé suiv lordonnance.*

Signatures. —

Avant de terminer ce chapitre, précisons encore quelques points quant à la difficulté de lecture des documents anciens.

Le novice en ce domaine se laissera peut-être rebuter dès qu'il aura sous les yeux un premier acte. Disons-le immédiatement, en ce domaine comme en bien d'autres, on ne doit pas se fier à ses premières impressions. D'autres avant nous ont déchiffré des textes semblables, pourquoi pas nous ? Ayant déjà en main de bons outils de travail, et étant prévenus des principales embûches qui nous guettent, pourquoi hésiter à essayer ?

Ce qui peut nous paraître le plus difficile à la lecture de ces actes, c'est qu'ils sont truffés d'abréviations. Là encore, nous avons pour nous venir en aide un lexique de ces abréviations, ce qui facilite grandement notre travail. On se référera à ce sujet à l'article de Fernand Lefebvre intitulé « Introduction à la paléographie Canadienne », dans la *Revue de l'Université d'Ottawa* (Vol. 28, no 4, oct.–déc. 1958, p. 490s).

Deux autres points méritent également d'être signalés au sujet des actes anciens, notamment ceux des 17e et 18e siècles. La ponctuation et l'orthographe des mots n'étant pas fixées à cette époque, il ne faudra pas se surprendre de voir apparaître ici et là des majuscules et des orthographes différentes d'aujourd'hui, surtout au chapitre des noms propres, le tout écrit en vrac, sans ponctuation.

Rappelons en terminant que plus on est familier avec les termes juridiques et les mots couramment employés à l'époque, plus augmente notre capacité de lire ces textes. La pratique en ce domaine vaut d'ailleurs cent fois mieux que toute théorie.

7.
LES SOURCES IMPRIMÉES

Nous allons parler d'abord des sources imprimées et, dans le chapitre suivant, des sources manuscrites. Pourquoi aborder d'abord les sources imprimées? Il y a plusieurs raisons à cette façon de procéder. Au début de toute recherche généalogique, il faut s'assurer que personne n'a déjà effectué le même travail. Pour ce faire, il faut connaître les sources imprimées. En outre, il est beaucoup plus facile de lire et d'utiliser des sources manuscrites déjà déchiffrées et imprimées que de les dépouiller à nouveau; cela permet de sauver beaucoup de temps, car souvent il faut être expert pour pouvoir déchiffrer les textes anciens.

Il faudrait un livre entier pour établir la nomenclature de toutes les sources imprimées en généalogie au Québec[1]. Dans le cadre de ce volume, nous nous attarderons surtout à étudier les principales sources tant imprimées que manuscrites pouvant servir à la généalogie au Québec, en soulignant leurs forces et leurs faiblesses, et en montrant également comment on peut les utiliser.

---

1. Kathleen de Varennes prépare actuellement un travail gigantesque, une bibliographie des ouvrages généalogiques imprimés au Canada.

OUVRAGES GÉNÉRAUX RELATIFS À LA GÉNÉALOGIE

Traités de généalogie

Le volume que vous avez en main est le premier qui peut être considéré comme un traité de généalogie québécoise. Il en existe de nombreux en Europe. Nous recommandons la lecture de l'un d'entre eux, celui attribué à la plume de Otto Forst de Battaglia et intitulé *Traité de généalogie*. Il a été publié aux Presses des Éditions Spes, en Suisse, au cours de l'année 1949.

Guides généalogiques

S'il n'y a qu'un traité de généalogie au Québec, nous avons quelques guides, le plus ancien étant celui de Jeanne Grégoire intitulé *À la recherche de nos ancêtres* et publié à Montréal en 1957. Assez complet en lui-même et récemment réédité, ce guide est une bonne introduction à la généalogie québécoise, quoique basé sur des données qui commencent à dater.

De Roland-J. Auger, nous avons deux articles intéressants qui peuvent servir de guide aux généalogistes débutants (voir annexe 3).

Un autre guide contient des renseignements divers au sujet de la généalogie. Il a pour auteur Raymond Gingras et a été publié à Québec en 1973, sous le titre *Précis du généalogiste amateur*. C'est une plaquette de quarante pages où l'on retrouve des modèles de fiches généalogiques et notamment un questionnaire intéressant pour recueillir des informations auprès des personnes âgées.

Dictionnaires généalogiques

De tous les instruments de travail dont nous pouvons nous servir en généalogie, les dictionnaires sont sûrement les plus utiles. Nous les diviserons en deux catégories, ceux qui touchent plusieurs familles et ceux qui ne portent que sur une famille en particulier.

(Collection de l'auteur).

Dictionnaire généalogique des familles canadiennes, de **Cyprien Tanguay, 7 tomes. La «Bible» des généalogistes québécois.**

Le premier en liste, on l'aura deviné, se trouve également le plus ancien, le *Dictionnaire généalogique des familles canadiennes*, publié par Monseigneur Cyprien Tanguay. La préoccupation de l'abbé Tanguay vint d'abord du fait que les curés devaient effectuer de longues recherches chaque fois qu'ils avaient à bénir un mariage. Comment établir les liens de parenté entre les futurs époux? Pour faciliter ces recherches, l'abbé Tanguay s'attaqua à la tâche de compiler baptêmes, mariages et sépultures de toutes les paroisses du Québec. Soupçonnait-il toute l'ampleur de la tâche qui l'attendait? Nous l'ignorons. Mais il reçut l'aide du gouvernement fédéral et commença son travail de compilation en 1865, comme archiviste au bureau des statistiques. Dès 1871, il publiait le premier tome de son dictionnaire généalogique, dans lequel on retrouve, famille par famille, les baptêmes, mariages et sépultures recueillis aux divers registres des paroisses qui existaient avant 1700. Puis, entre 1871 et 1890, il publia les six autres volumes de son dictionnaire, compléments de ses recherches jusque vers 1760.

Le dictionnaire généalogique de Tanguay, après cent ans d'existence, demeure encore l'instrument de base utilisé par tous les généalogistes. On ne soulignera jamais assez l'importance de cette œuvre pour la généalogie au Québec. De consultation facile, le dictionnaire Tanguay, malgré ses lacunes et les nombreuses erreurs qu'on y relève, sert en quelque sorte de raccourci au chercheur qui a réussi à établir sa lignée ancestrale jusqu'aux environs de 1760.

Pour savoir comment utiliser cet outil, servons-nous d'un exemple. À la page 410 du tome VII du Dictionnaire on trouve:

> *1767 (14 sept.) Château-Richer*[4]
> *IV – VALIÈRE, Alexandre   (Jean III)*
> *b 1738*
> *CRÉPEAU, Marguerite   (Charles III)*
> *b 1748*
> *Marie-Élisabeth, b*[4] *3 et s*[4] *9 juillet 1773*

Comment lire cela?

Mariage à Château-Richer le 14 septembre 1767 d'Alexandre Valière, fils de Jean Valière, et Marguerite Crépeau, fille de Charles Crépeau.

Signification des abréviations:

Le IV indique qu'Alexandre Valière est de la quatrième génération de Valière au pays.

Le chiffre 4 qui suit le nom Château-Richer est utilisé par la suite pour désigner cet endroit; ainsi b[4] et s[4] suivant le nom de Marie-Élisabeth signifient: baptême à Château-Richer et sépulture à Château-Richer.

Jean III, entre parenthèses, désigne le père d'Alexandre Valière.

Charles III, entre parenthèses, désigne le père de Marguerite Crépeau.

Nous apprenons ainsi qu'Alexandre Valière est fils de Jean Valière de la troisième génération. Nous allons voir à Jean Valière III. Comme il y a deux Jean Valière de la troisième génération, un à la page 409 et l'autre à la page 408, il nous faut vérifier parmi leurs enfants afin de retrouver Alexandre qui est marié à Marguerite Crépeau. Nous le retrouvons effectivement parmi les enfants de Jean Valière III, fils de Rémi II et marié à Beaumont le 8 mars 1734 à Madeleine Roy, fille de Guillaume II. Nous allons à Rémi II, page 407, pour apprendre qu'il est le fils de Pierre I. Nous trouvons: I — Valière (4) Pierre marié à Marie-Anne Lagou, à Québec, le 8 septembre 1670, premier ancêtre ici de cette famille Valière. Le chiffre (4) entre le nom Valière et le prénom Pierre nous renvoie au bas de la page où nous trouvons la note suivante: voir Volume I, p. 580. Au volume I, page 580 on trouve les renseignements concernant l'ancêtre Valière.

Dans le même genre que le dictionnaire de Tanguay, on retrouve celui de l'Institut généalogique Drouin. Cependant, ce dictionnaire ne contient pas les baptêmes et sépultures. Il porte uniquement sur les mariages depuis le début de la colonie jusqu'à la conquête.

Ces deux dictionnaires contiennent des renseignements sur toutes les familles qui vivaient au Québec. Certains autres dictionnaires comportent des renseignements similaires mais uniquement pour les familles d'une région spécifique. C'est notamment le cas du *Dictionnaire généalogique des familles du diocèse de Rimouski*, œuvre de Monseigneur Carbonneau.

Enfin, rappelons que certains auteurs ont fait le relevé de toutes les personnes issues d'un même ancêtre. Donnons pour exemple le dictionnaire rédigé par Omer Bédard et intitulé *Généalogie des familles Bédard du district de Québec*, et publié à Québec en 1946. Plusieurs familles québécoises ont la chance de posséder ainsi leur dictionnaire. Il n'entre pas dans le cadre de ce travail de les énumérer. Pour en savoir plus long, on pourra se référer aux bibliographies généalogiques.

Bibliographies en généalogie

En ce domaine, il faut le dire, nous sommes très peu à la page. Arides à réaliser, de tels relevés ont attiré très peu d'auteurs. Le plus récent que nous connaissons date déjà de plusieurs années puisqu'il fut réalisé par Kathleen Mennie de Varennes en 1963 ; il est intitulé *Bibliographie annotée d'ouvrages généalogiques à la bibliothèque du parlement d'Ottawa.*

Pour trouver un travail plus complet en ce qui a trait aux ouvrages antérieurs à 1940, il faut se référer au relevé général publié par Antoine Roy dans le *Rapport de l'Archiviste de la Province de Québec* pour 1940-41.

Revues généalogiques

Tout généalogiste et chercheur en généalogie se doit d'être membre d'au moins une société de généalogie, ne serait-ce que pour se tenir au courant de ce qui se publie en ce domaine.

Les principales revues généalogiques au Québec sont les *Mémoires de la Société généalogique canadienne française*, publication trimestrielle de la Société généalogique de Montréal; *l'Ancêtre*, publication mensuelle de la Société de généalogie de Québec; et *l'Outaouais généalogique*, publication mensuelle de la Société de généalogie de l'Outaouais. On peut également mentionner la parution épisodique de publications généalogiques par la Société généalogique de Sherbrooke. À toutes ces revues strictement consacrées à la généalogie, il faut ajouter une revue qui a eu ses heures de gloire et que tout généalogiste consultera avec profit, le *Bulletin de recherches historiques*.

OUVRAGES ANCIENS UTILES À LA RECHERCHE GÉNÉALOGIQUE

On ne peut dissocier généalogie et histoire, car ce sont des hommes qui font l'histoire, et c'est précisément d'eux que la généalogie se préoccupe. Ainsi, tous les écrits historiques anciens peuvent nous apporter des détails très intéressants sur nos ancêtres, et certains ouvrages plus que d'autres. Nous allons en mentionner ici quelques-uns.

Au 17e siècle

Si les historiens étaient rares dans les années 1600, les relationnistes, eux, ne manquaient pas. Les missionnaires entre autres, au début de la Nouvelle-France, par les comptes rendus détaillés de leurs pérégrinations et apostolats, contribuèrent largement à nous laisser de précieux renseignements sur ceux qu'ils côtoyaient.

Tout généalogiste amateur ou chevronné qui cherche des renseignements sur un ancêtre ayant vécu au 17e siècle est donc appelé souvent à consulter les *Relations* et le *Journal des Jésuites*, ainsi que *Les lettres historiques de Marie de l'Incarnation*.

Pour être plus complet dans ses recherches, le chercheur consciencieux devra également jeter un coup d'œil aux œuvres de Champlain, de Sagard et autres, puisque les récits de voyages sont des atouts précieux à qui veut en connaître plus long sur une époque et sur ceux qui y vécurent.

Au 18ᵉ siècle

Nous devons ici porter grande attention au courrier des gens de cette époque, aux journaux de voyages, ainsi qu'aux récits de faits divers. Signalons toutefois que si le 17ᵉ siècle est riche en documents de ce genre, le 18ᵉ paraît plus pauvre, bien qu'on puisse tirer profit de certains récits, journaux de voyages et lettres, surtout à la période de la prise de Québec.

Nous mentionnerons comme documents importants : Les Procès-verbaux des Grands-Voyers dont les Inventaires sont publiés par P.-Georges Roy ; on peut en tirer de précieux renseignements sur plusieurs ancêtres, notamment au sujet de l'emplacement de leur terre ;

le journal de voyage de Peter Kalm, qui vint au Canada en 1749 ;

les lettres de Vaudreuil et celles des différents commandants de l'armée française à l'époque de la Conquête ;

les différents mémoires à l'époque publiés dans les *Rapports des Archives de la Province de Québec* et dont on trouve référence dans la table des matières des *Rapports des Archives du Québec* en 1965.

En somme, il est bon et presque indispensable de consulter ces ouvrages, ne serait-ce que pour se resituer face aux mœurs et coutumes de l'époque en vue de bien camper nos ancêtres dans leur contexte de vie.

Au 19ᵉ siècle

Les ouvrages propres à aider la recherche généalogique ne manquent pas au siècle dernier. Là encore, il faut toujours consulter lettres, journaux, relations de voyages, mémoires etc.

Pour cette période et afin de ne pas trop nous étendre sur le sujet, nous ne mentionnerons que les œuvres de Ferland, celles de Benjamin Sulte (en particulier en ce qui a trait au lieu d'origine des ancêtres), et les ouvrages de Philippe Aubert de Gaspé, au sujet des mœurs et coutumes de cette époque.

On gagnera aussi à consulter la table de matières des *Rapports des Archives de la Province de Québec.*

On trouvera également une nomenclature des différents ouvrages utiles aux généalogistes dans la bibliographie, en fin de volume.

OUVRAGES RELATIFS À L'ÉTAT CIVIL

La généalogie n'existerait probablement pas ou du moins prendrait beaucoup moins d'importance, si nous n'avions pas la chance de posséder les registres d'état civil. Ces registres sont en effet une mine d'or pour les chercheurs en généalogie puisqu'ils contiennent les actes de baptême, mariage et sépulture de nos ancêtres.

Les historiens et généalogistes ont très vite compris l'importance de ces documents et se sont efforcés de se créer des instruments de recherche touchant l'état civil. C'est ainsi qu'on a vu paraître des *Inventaires* et *Index* des registres paroissiaux, des répertoires de mariages et des recueils généalogiques des registres d'état civil.

Voici un aperçu des sources imprimées relatives à l'état civil.

Inventaires et Index

Avant de se lancer dans une recherche quelconque dans les registres d'état civil, il faut d'abord connaître ce que nous possédons en ce domaine. Des inventaires et index des registres d'état civil ont été dressés à cet effet.

On trouvera en particulier dans les *Rapports de l'Archiviste de la Province de Québec* de 1920-21 et de 1921-22 des Inventaires sommaires des Archives judiciaires conservés aux Palais de justice de Saint-Joseph de Beauce, de Chicoutimi, de Rivière-du-Loup (maintenant conservés aux Archives nationales, à Québec, pour les années antérieures à 1875); de Trois-Rivières (maintenant conservés aux Archives nationales, à Trois-Rivières, pour les années antérieures à 1875).

Dans le *Bulletin de recherches historiques*, on trouve également plusieurs inventaires des registres d'état civil. Citons ceux conservés à Saint-Hyacinthe, Richelieu, Joliette, Terrebonne, Montmagny, Pontiac, Beauce, Témiscamingue, Trois-Rivières, Îles-de-la-Madeleine, Arthabaska, Gaspé, Île-du-Pas, Sherbrooke. Enfin, concernant uniquement la région de Québec, on consultera avec profit le volume de Pierre-Georges Roy intitulé *Inventaire des registres de l'état civil conservés aux archives judiciaires de Québec.*

C'est en consultant ces différents inventaires que l'on pourra savoir si les registres de telle paroisse en telle année existent aux Archives judiciaires ou aux Archives nationales et en quelle année ils commencent. Il faut savoir que si certains registres ne sont pas en possession des Archives, ils peuvent parfois exister encore à la paroisse concernée.

Si on possède des inventaires de ce qui existe comme registres d'état civil, ces registres ne possèdent pas nécessairement des index. Rares sont les index de registres paroissiaux qui ont été publiés. Quand nous parlons ici d'index, nous voulons mentionner les relevés indexés aux noms des personnes de tous les baptêmes, mariages et sépultures célébrés dans une paroisse.

À titre d'exemples de ce genre, signalons le relevé fait par le chanoine Delorme des baptêmes, mariages et sépultures de la paroisse de Saint-Ours, et celui de la paroisse de Contrecœur par l'abbé Irené Jetté. Si par le passé rares sont les compilations aussi complètes, il faut dire que de tels relevés se font cependant actuellement. Il y a notamment ceux que réalise le Centre de démographie de l'Université de Montréal pour toutes les paroisses qui ont existé avant 1760. Ces relevés sont faits sur fiches d'ordinateur et sont traités au moyen de l'informatique. Une première série vient de paraître en 7 volumes aux Presses de l'Université de Montréal couvrant les années antérieures à 1700. D'autres tranches paraîtront dans les prochaines années pour tout ce qui concerne les baptêmes, mariages et sépultures enregistrés au Québec, jusqu'à la conquête.

Répertoires de mariages

Si les généalogistes n'ont pas dressé l'index complet des registres d'état civil, ils ont par contre réalisé un grand nombre de répertoires de mariages en relevant les mariages célébrés dans la majorité des paroisses de la province de Québec.

Ces compilations ayant été exécutées par différentes personnes, on retrouve également différentes méthodes de présentation des résultats. C'est ainsi que nous avons des répertoires qui présentent un relevé des mariages par ordre chronologique. Un autre type de répertoire regroupe les mariages par familles sans ordre préétabli, en tenant compte des couples à l'origine de l'établissement d'une famille dans une paroisse. Enfin un autre genre de répertoire, le plus pratique et le plus facile de consultation, regroupe les mariages par noms de famille et ordre alphabétique des prénoms des hommes, ou encore par ordre alphabétique des noms de famille des conjointes.

Comme nous l'avons mentionné plus haut, les mariages de la majorité des paroisses du Québec ont été ainsi répertoriés. La tendance actuelle dans le domaine des répertoires de mariages est de les publier par comté en regroupant dans un volume ou deux tous les mariages célébrés dans toutes les paroisses de ce comté, ce qui rend la consultation encore plus facile en diminuant le nombre de volumes à consulter.

Les répertoires de mariages sont les instruments de travail les plus pratiques et les plus indispensables pour les généalogistes, qui les utilisent constamment pour dresser les lignées ancestrales.

Recueils généalogiques

Dans le même style que les répertoires de mariages, les recueils généalogiques sont des instruments de travail utilisés couramment par les généalogistes. Ces recueils sont encore plus complets que les répertoires, en ce sens qu'ils regroupent selon une méthode bien déterminée tous les mariages célébrés dans une région, tel un comté ou un groupe de comtés. L'avantage des recueils généalogiques, c'est que par une numérotation appropriée ils permettent en quelques minutes d'établir une lignée directe.

Les plus connus de ces recueils généalogiques sont ceux du frère Éloi-Gérard Talbot pour les comtés de Charlevoix, de Beauce, Dorchester, Frontenac et Bellechasse, l'Islet et Montmagny.

Le frère Talbot avait été précédé dans ce genre de travail par les abbés Beaumont et Forgues, qui publièrent de cette façon les recueils de mariages de la Beauce, de l'île d'Orléans et de la Côte de Beaupré.

Pour savoir comment utiliser ces volumes, il faut se référer aux explications qu'en donnent leurs auteurs au début de chaque tome.

OUVRAGES DIVERS UTILES À LA GÉNÉALOGIE

Certains thèmes relatifs à la généalogie ont donné lieu à des ouvrages extrêmement utiles qu'aucun chercheur en généalogie ne doit ignorer. Nous ferons ici un bref relevé de certains de ces ouvrages.

Origine des ancêtres

Ce thème mérite à lui seul une étude particulière. C'est pourquoi nous y avons consacré quelques lignes au chapitre où nous abordons la question des biographies d'ancêtres.

Arrivée des ancêtres

Quelques ouvrages touchent ce thème d'une façon plus particulière. Le franciscain Archange Godbout a consacré un volume intitulé *Les passagers du Saint-André en 1659*, et Roland-J. Auger en a fait autant pour *La grande recrue de 1653*.

Godbout a été constamment en quête de nouveaux documents sur le sujet, et il a écrit plusieurs articles sur l'arrivée des colons en Nouvelle-France. Nous en donnons un meilleur aperçu au chapitre touchant les biographies ancestrales.

Les recensements

Documents fort précieux pour toute recherche généalogique, les recensements doivent continuellement être consultés par les chercheurs. Pour en connaître davantage à ce sujet, nous référons le lecteur à deux articles parus dans la revue *l'Ancêtre* (volume 2, pp. 65 ss).

On trouvera à la bibliographie plusieurs titres concernant ce sujet.

Les terres et concessions

Connaître le ou les lieux d'habitation de ses ancêtres, voilà une des préoccupations du généalogiste débutant. Aussi est-il bon de rappeler que d'excellents volumes ont paru sur cette question.

L'auteur le plus prolifique en ce domaine est sans contredit Léon Roy, qui a publié dans les *Rapports de l'Archiviste du Québec* de 1949-51, 1951-52, 1953-55 et 1973, ses « Terres de l'île d'Orléans ». Une nouvelle édition revue et augmentée par Raymond Gariépy, intitulée *Les terres de l'île d'Orléans 1650-1725*, a paru aux éditions Bergeron de Montréal en 1978. Léon Roy avait publié également un ouvrage similaire concernant *les terres de la Grande-Anse des Aulnaies et du Port Joly* en 1951. De son côté, Raymond Gariépy a fait paraître un ouvrage du même genre intitulé *Les seigneuries de Beaupré et de l'île d'Orléans dans leurs débuts*. Quant à Marcel Trudel, on connaît son *Terrier du Saint-Laurent en 1663*.

La justice

Thème combien intéressant touchant nos ancêtres. Multiples sont les ouvrages abordant cette question. Nous nous

CHERCHONS NOS ANCÊTRES

bornerons ici à souligner les importants *Inventaires des jugements et délibérations du Conseil souverain de la Nouvelle-France 1663–1716*, et du *Conseil supérieur 1717 à 1760*. Pour en connaître davantage en ce domaine, nous prions le lecteur de bien vouloir se référer à la bibliographie.

L'histoire des familles

Les généalogistes en général sont plus des compilateurs que des historiens. Aussi les volumes relatant l'histoire d'une ou plusieurs familles sont-ils relativement rares.

On en a cependant d'excellents dus à la plume de Pierre-Georges Roy, et quelques autres intéressants produits par divers auteurs. Ainsi on trouvera d'excellents écrits sur les familles Allaire et Dallaire, Beaumont, Blanchet, Bolduc, etc.

Les monographies paroissiales

Ces ouvrages nombreux et d'inégale valeur, écrits à l'occasion du centenaire, du deux-centième ou trois-centième anniversaire de fondation d'une paroisse, contiennent habituellement des renseignements précieux sur les familles qui ont habité et habitent encore en ce lieu.

Dans certaines de ces monographies, on retrouve une partie généalogique touchant les familles de la paroisse en question.

Là encore, si on voulait être exhaustif et donner une bibliographie complète des monographies paroissiales publiées au Québec, il nous faudrait pratiquement publier un autre volume! Signalons cependant quelques ouvrages qui peuvent aider grandement à connaître ce qui existe en ce domaine. D'abord d'Antoine Roy, et publié dans le *Rapport de l'Archiviste de la Province de Québec 1937-38*, p. 254–364, une «Bibliographie des monographies et histoires de paroisses». Ensuite, pour ceux que cela intéresse particulièrement, les recensions de différentes monographies paroissiales faites dans l'excellente *Revue d'histoire de l'Amérique française*, ainsi que les relevés des

114

différentes publications faits en ce domaine par la revue *Canadiana*.

Enfin, reprenant le travail d'Hormidas Magnan et le complétant très bien, le volume plus récent d'André Beaulieu et William F.E. Morley intitulé *La province de Québec* et publié aux Presses de l'Université de Toronto en 1971. Ce volume est à recommander à quiconque veut savoir ce qui s'est publié sur les différentes paroisses de la province de Québec ; il a l'avantage également de spécifier à quelle bibliothèque on peut trouver des exemplaires des monographies et ouvrages mentionnés dans ce relevé.

OUVRAGES GÉNÉRAUX RELATIFS AUX ARCHIVES

Avant de terminer sur les sources imprimées, abordons brièvement un aspect important et souvent négligé par les chercheurs, celui des inventaires relatifs aux différents dépôts d'archives de France, du Canada et du Québec.

Certaines personnes, montrant en cela leur ignorance, s'imaginent que rien n'a été fait dans le domaine des archives. C'est ainsi qu'on a vu récemment quelqu'un demander un octroi gouvernemental pour aller faire le relevé des registres paroissiaux du 17e siècle conservés en France. Il est bon, avant d'aborder le sujet des sources manuscrites, de savoir qu'il existe des inventaires des différents fonds d'archives conservés tant en France qu'au Canada et au Québec.

Inventaires des archives de France

Ce n'est pas notre propos de traiter ici des différents fonds des archives de France. Mais nous savons que les généalogistes, en particulier après avoir pris connaissance du lieu d'origine de leur ancêtre en France, désirent, et c'est bien légitime, en connaître plus long sur lui dans son pays d'origine. Pour ce faire, ils ont à consulter les archives de France, et naïvement certains d'entre eux croient être les premiers à le faire.

Il existe de nombreuses publications au sujet des dépôts d'archives de France. La plupart des fonds conservés ont été inventoriés et on a publié les résultats de ces inventaires.

Pour les généalogistes québécois curieux d'en savoir plus long sur les archives de France, on se doit de mentionner l'inventaire réalisé par J.-Edmond Roy et qui a pour titre *Rapport sur les archives de France relatives à l'histoire du Canada*, publié à Ottawa en 1911. Bien que ce volume date, il conserve sa valeur, car dans le domaine des archives, les fonds anciens ne varient guère et il est rare que dans ces fonds des choses se rajoutent, le contraire s'avérant beaucoup plus fréquent.

Les documents français qui intéressent le plus les généalogistes étant ordinairement ceux des 17e et 18e siècles, l'inventaire qu'en fait Edmond Roy garde donc toute sa valeur, à une chose près : certains fonds sont aujourd'hui classés sous des cotes différentes et également dans des endroits différents, sinon disparus à la suite des deux guerres.

Pour ceux qui veulent en connaître plus long au sujet des registres paroissiaux conservés dans les différents fonds d'archives, il y a toujours possibilité de consulter les inventaires faits par chacun des dépôts d'archives départementales français. Par contre, la revue *Héraldique et généalogie* a publié des relevés faits pour une grande partie des départements français en mentionnant ce qui est conservé aux archives départementales et aux paroisses. Ce sont là des renseignements très précieux pour quiconque recherche un acte en France.

Inventaires des Archives nationales du Québec

Les Archives nationales du Québec possèdent différents dépôts à Québec, Montréal, Trois-Rivières, Chicoutimi, Hull, Rimouski, Rouyn et bientôt Sept-Îles. Les fonds conservés aux Archives nationales du Québec sont inventoriés dans *l'État général des Archives publiques et privées du Québec*, publié en 1968.

Inventaires des Archives publiques du Canada

Les Archives publiques de nos «voisins canadiens» sont riches en documents divers. Ces pièces ont été inventoriées et on trouve ces inventaires dans les *Rapports sur les Archives du Canada* publiés annuellement.

8.
LES SOURCES MANUSCRITES

ÉTAT CIVIL

Il est incontestable que la première source manuscrite consultée par tout chercheur est celle de l'état civil ou, en d'autres termes, les registres paroissiaux. Sans ces registres il serait difficile de réaliser des généalogies, car ils contiennent les principaux événements relatifs à toute personne, c'est-à-dire l'acte de naissance, de mariage et de sépulture.

Ces registres peuvent être consultés, en règle générale, aux Archives nationales ou dans les paroisses pour les années antérieures à 1875, et aux Archives judiciaires et dans les paroisses également pour les derniers cent ans.

À ceux que la chose intéresse d'une façon plus particulière, nous conseillons de lire l'article de Gérard Bouchard et André Larose, dans la *Revue d'histoire de l'Amérique Française*, intitulé «La réglementation du contenu des actes de baptême, mariage, sépulture au Québec, des origines à nos jours». C'est d'ailleurs dans cet article que nous puisons les informations suivantes.

Rappelons que les registres de baptêmes, mariages et sépultures sont des instruments privilégiés pour la connaissance des familles. Ils ne sont pas apparus spontanément chez les peuples, mais à la suite de plusieurs réglementations.

Origine de ces registres

C'est aux autorités religieuses que nous devons l'apparition de tels registres. En tout premier lieu, aux 14e et 15e siècles surtout, ces registres n'étaient rien d'autre que des livres de comptes servant à inscrire les honoraires perçus lors des cérémonies.

Une deuxième raison, celle-là d'ordre canonique, incita les autorités religieuses à étendre davantage cette pratique. La tenue de tels registres permettait de découvrir plus facilement les empêchements aux mariages en raison de parenté entre les conjoints. C'est une législation du Concile de Trente en 1563 qui étendit à l'église universelle l'obligation de tenir de tels registres.

Les pouvoirs publics de leur côté s'intéressèrent également à la chose. En France, des législations de 1539 à Villers-Cotterêts, de 1579 à Blois et de 1662 à Saint-Germain-en-Laye obligèrent à la tenue de tels registres. On reconnut les registres paroissiaux au civil, et on exigea des prêtres qu'ils les rédigent en double.

Dès les débuts de la colonie, les religieux, habitués à tenir de tels registres en France, continuèrent cette pratique au Canada. Le Conseil souverain intervint en 1679 pour obliger les curés à produire une double copie de ces registres. C'est ainsi que depuis cette époque les prêtres enregistrent en double les baptêmes, mariages et sépultures. Récemment, compte tenu de l'évolution sociale, le gouvernement a créé l'Office de revision du Code civil, et bientôt nous aurons un état civil distinct.

Le contenu de ces registres

Ce n'est pas au premier jour de l'apparition de tels registres qu'ils contenaient tous les détails que nous y retrouvons aujourd'hui. Il a fallut plusieurs législations tant ecclésiastiques que civiles pour que tous adoptent une tenue uniforme.

C'est ainsi que dans les actes de baptême, outre la date du baptême et de la naissance, on doit trouver les prénoms de l'enfant, le nom de ses parents et ceux du parrain et de la marraine.

Aux actes de mariage, on doit retrouver les nom et métier des conjoints, le nom de leurs parents, des témoins, etc.

C'est Mgr de Saint-Vallier qui le premier en 1703 publia un Rituel, dans lequel il indiquait la formulation à utiliser pour la rédaction des actes de baptême, mariage et sépulture. Il existait certaines lacunes au sujet des sépultures et elles ne furent corrigées qu'en 1836, avec l'apparition du *Rituel de Québec*. C'est dire la précision du Rituel de Mgr de Saint-Vallier, qui fut en vigueur 133 ans.

Comme les registres paroissiaux tenaient lieu également de registres d'état civil, les autorités du pays n'intervinrent dans la tenue de ces registres qu'en ces dernières années, avec la création de l'Office de révision du Code civil de la province de Québec. A la bibliographie, on trouvera des références à ce sujet.

ARCHIVES PUBLIQUES

Pour éviter toute confusion, nous avons choisi ici de regrouper tous les documents d'archives sous deux titres « archives publiques » et « archives privées », comme on l'a fait dans *L'État général des Archives du Québec*. On sait en effet que nous pourrions parler d'archives officielles, semi-officielles, régionales, etc. Nous ne nous lancerons pas dans de telles distinctions qui ne feraient qu'embrouiller les cartes. De plus, nous nous bornerons à rappeler quelques points particuliers concernant ces dépôts d'archives. Pour tout renseignement à ce sujet, nous vous invitons à consulter les différents inventaires d'archives dont nous avons parlé plus haut et en particulier *L'État général des Archives publiques et privées* conservés aux Archives nationales du Québec.

Documents généraux

Sous ce titre, nous regroupons tous les documents qui touchent les archives officielles provenant des gouverneurs, intendants, etc., à l'exception des pièces concernant la justice. Signalons tout d'abord que la majorité des fonds de ce genre ont été inventoriés et certains indexés et même publiés en partie. On y retrouve entre autres les *ordonnances des Intendants, les actes de foi et hommage, les aveux et dénombrements, les procès-verbaux des grands voyers*. Ce sont là des documents très importants et intéressants à consulter.

Documents judiciaires

Parmi ces documents généraux, nous avons fait une place à part aux documents judiciaires.

Ces pièces d'une importance capitale pour la recherche généalogique ont été inventoriées, indexées et même publiées en ce qui touche le Conseil souverain.

Il est inutile de souligner toute l'importance de ces sources. Parmi elles, les registres du Conseil supérieur 1663–1760, les Jugements et Délibérations du Conseil souverain pour 1663–1716 ont été publiés en leur entier avec index. De plus, pour les années 1717 à 1760, un inventaire a également été publié. Ces documents peuvent être consultés aux Archives nationales à Québec. Leur lecture n'est pas toujours facile.

Dans le même domaine des Archives judiciaires, on retrouve les registres de la Prévôté de Québec (1666–1759) en 113 volumes. Ce fonds important n'avait pas été indexé jusqu'à présent, mais des archivistes y travaillent actuellement.

Actes notariés

Les sources manuscrites les plus importantes sont sans contredit les actes des différents notaires ayant exercé sous les régimes français et anglais.

Mine considérable de renseignements, les actes notariés sont conservés dans les dépôts des Archives nationales dès leur versement par les notaires. Un ouvrage important bien qu'incomplet nous permet de connaître les noms des notaires et les endroits où ils ont exercé au Québec. Il s'agit du volume de J.-M. Laliberté intitulé *Index des greffes des notaires décédés (1645–1948)*.

De nombreux index et inventaires des contrats notariés ont été imprimés; on en trouvera la nomenclature à la fin.

Pour satisfaire les plus curieux, nous reproduisons ici une liste avec définition des différents actes susceptibles de se rencontrer dans ces greffes de notaire.

Aperçu des actes que l'on peut trouver dans un greffe de notaire:

Acceptation
Acte par lequel un individu accepte un don. Ex.: *acceptation de transport; acceptation d'une traite:* promesse de payer.

Accord
Acte par lequel deux individus ou plus ratifient un pacte, une convention, un arrangement.

Achat
Acte par lequel un contractant devient acquéreur d'un bien quelconque. Ex.: terre, maison.

Alignement
Action d'aligner. Voir: *Procès-verbal.*

Bail
Contrat par lequel on cède la jouissance d'un bien meuble ou immeuble pour un prix et un temps déterminés (Larousse). En d'autres termes, une location. Ex.: Bail à ferme, un bien rural; Bail à loyer, une maison; Bail emphytéotique (bail consenti pour une durée de dix-huit à quatre-vingt-dix-neuf ans).

Billet

Écrit constatant un droit ou une convention. *Billet à ordre* : Écrit par lequel on s'engage à payer une somme à la personne en faveur de laquelle le billet a été souscrit, ou *à son ordre*, c'est-à-dire à toute personne à qui elle aura transmis ce billet.

Cession

Acte par lequel on cède un droit ou un bien à titre onéreux, ou à titre gratuit. Ex. : cession de bail, de bien.

Concession de terre

Acte par lequel un individu cède à un autre moyennant certaines clauses son droit sur un terrain.

Contrat de mariage

Pacte entre deux personnes par lequel elles s'engagent à s'unir par le mariage.

Décharge

Acte par lequel on tient quitte d'une obligation. *N.B.* : Différent de la *quittance* en ce sens que *l'obligation* dans le cas de la décharge n'est pas entièrement payée.

Déclaration

Acte par lequel on affirme l'existence d'un fait ou d'une situation juridique. Ex. : déclaration de naissance, de décès, de faillite, etc... (Larousse).

Désistement

Acte de renonciation à une action (peut être fait en faveur de quelqu'un).

Donation

Contrat par lequel une personne transmet sans contre-partie un bien à une autre personne. *Donation entre vifs* : entre personnes vivantes. *Donation pour cause de mort* : en cas de mort. *Don mutuel* : acte par lequel un ascendant donne et *partage* de son vivant tout ou partie de ses biens entre ses descendants.

Échange

C'est le troc d'une chose contre une autre acceptée comme équivalent. Ex. : échange de terres, de maisons.

Engagement

Acte par lequel un individu promet d'en servir un autre pendant une certaine période de temps et moyennant une certaine rémunération.

Foy et hommage

Acte par lequel un censitaire promet fidélité et loyauté à son seigneur.

Inventaire

Acte par lequel on dénombre et évalue par écrit les biens meubles, titres, papiers d'un individu. Ex.: inventaire d'une succession.

Jugement

Acte rapportant la décision, la sentence émanant d'un tribunal (Larousse).

Marché

Convention d'achat et de vente entre deux ou plusieurs personnes.

Obligation

Acte attestant un emprunt contracté par une personne.

Partage

Opération par laquelle une personne répartit ses biens, en fixant elle-même la part de chacun.

Procès-verbal

Compte rendu de ce qui a été fait, dit ou décidé dans une circonstance particulière. Ex.: alignement ou bornage d'une terre.

Procuration

Acte conférant le pouvoir à une personne d'agir au nom d'une autre (Larousse).

Quittance

Attestation écrite par laquelle un créancier déclare un débiteur quitte envers lui (Larousse).

Ratification

Acte venant confirmer et approuver ce qui a été fait ou promis. Ex.: vente d'une terre.

Reconnaissance
Acte par lequel on admet l'existence d'une obligation.

Reçu
Quittance sous seing privé, par laquelle on reconnaît avoir reçu une somme (Larousse).

Renonciation
Acte certifiant qu'une personne renonce à un droit.

Rétrocession
Acte par lequel on cède à nouveau un droit acquis. Ex. : rétrocéder une terre (Larousse).

Société
Groupement de plusieurs personnes ayant mis quelque chose en commun en vue de partager le bénéfice qui pourra en résulter. (Larousse).

Sommation
Mise en demeure faite à une personne de rembourser une dette, ou encore de justifier une action.

Testament
Acte par lequel on déclare ses dernières volontés et dispose de ses biens pour le temps qui suivra sa mort. (Larousse).

Titre-Nouvel
Acte authentique établissant un droit nouveau.

Transaction
Accord conclu sur la base de concessions réciproques. (Larousse).

Transport
Acte par lequel on opère un transfert de droit sur un bien quelconque.

Tutelle et curatelle
Acte par lequel l'assemblée de famille établit une personne comme responsable d'enfants mineurs.

Vente
Acte attestant une cession moyennant un prix convenu. (Larousse).

N.B. — Les généalogistes consultent ordinairement ces catégories d'actes, mais il en existe un bon nombre d'autres. À titre d'information, en voici une liste sommaire : abandon, acte de droit, annulation, arrêté, assemblée, autorisation, brevet, codicille, compromis, compte, compte rendu, confirmation, consentement, constitution, continuation, contrat, convention, déposition, don mutuel, estimation, évaluation, mémoire, opposition, ordonnance, permission, prise de possession, promesse, rachat, refus, renouvellement, requête, résiliation, retrait, révocation, signification, soumission, subdivision.

ARCHIVES PRIVÉES ET DES COLLECTIVITÉS LOCALES

Les archives privées, très nombreuses au Québec, permettent également des découvertes intéressantes en généalogie. Nous les avons subdivisées en quatre catégories : celles du clergé et des communautés religieuses, des fabriques, des associations diverses, des particuliers.

Archives du clergé et des communautés religieuses

Il convient de mentionner en premier lieu les Archives du Séminaire de Québec, très riches en documents divers et très bien indexées. Ce fonds conservé au Séminaire de Québec est facilement accessible aux chercheurs. On en trouve un inventaire réalisé par l'abbé Honorius Provost, conservateur de ces Archives.

Un autre important dépôt d'archives est celui de l'Archevêché de Québec conservé au Couvent des Sœurs de la Sainte-Famille de Bordeaux, sur le Chemin Saint-Louis. Le conservateur en est l'abbé Armand Gagné. Signalons entre autres deux registres importants qu'on y garde, celui des *Confirmations* réalisé par Mgr de Laval et Mgr de Saint-Vallier, ainsi que *le registre des abjurations*. Nous le publierons sous peu. Relevons également les dossiers contenant les témoignages de liberté au mariage. Une partie en a été publiée dans le *Rapport de l'Archiviste de la province de Québec.*

Parmi les fonds d'archives de communautés religieuses, on se doit de relever ceux de l'Hôtel-Dieu de Québec, de l'Hôpital général de Québec, des Sulpiciens de Montréal, du Séminaire de Trois-Rivières, des Jésuites (conservés aux Archives nationales à Québec), etc.

Dans ces divers dépôts d'archives, on trouve d'intéressants documents concernant les ancêtres, et en particulier des livres de comptes qui en disent bien long sur les affaires temporelles de ces communautés. On y retrouve les comptes de plusieurs personnes.

Ces communautés religieuses possédaient également de nombreuses seigneuries. On trouve dans leurs archives des pièces relatives aux terres concédées ainsi que des aveux et dénombrements très intéressants.

Archives des fabriques

Plus difficilement accessibles car dépendant souvent de l'humeur des curés, les archives des fabriques, pour quiconque veut obtenir des renseignements sur un ou plusieurs ancêtres ayant résidé dans une paroisse particulière, apportent toujours des éléments biographiques de valeur. Malheureusement ces archives de fabriques, à l'exception de quelques-unes seulement, ne sont pas inventoriées ; ceci, additionné à la réticence de certains curés, en rend la consultation doublement difficile.

Archives d'associations diverses

Certaines sociétés, songeons par exemple à la Société Saint-Jean-Baptiste ou à la Confrérie de Saint-Joseph, possèdent des archives importantes. Plusieurs ont versé leurs fonds aux Archives nationales.

Pour ceux dont les ancêtres ont fait partie de telles sociétés, la consultation de ces archives apportera sûrement des éléments intéressants.

Archives des particuliers

Il y aurait long à dire sur chaque catégorie d'archives de ce genre. *L'État général des Archives du Québec* donne le détail, par exemple, de fonds d'archives de particuliers conservés aux Archives nationales. Les Archives publiques du Canada sont également riches en fonds de ce genre.

En ce qui concerne la généalogie, nous nous bornerons à relever seulement le riche fonds généalogique Archange Godbout conservé aux Archives nationales à Québec. Ce fonds n'est cependant accessible aux chercheurs qu'avec l'autorisation du responsable de la division.

D'autres fonds, non moins précieux pour les généalogistes, méritent d'être consultés, tels celui de Benjamin Sulte et ceux de Gérard Malchelosse, Édouard-Z. Massicotte, etc.

Mettons là-dessus un point final à cette longue énumération en vous invitant à consulter la bibliographie. Vous y trouverez les références utiles et nécessaires à la consultation des principales sources imprimées et manuscrites relatives à la généalogie au Québec.

ANNEXE 1:
LES RESSOURCES DU GÉNÉALOGISTE

Les chercheurs en généalogie consultent toujours prioritairement les registres d'état civil afin de retracer les actes de baptême, mariage et sépulture de leurs ancêtres. Or un des grands désavantages auxquels ils ont à faire face est précisément l'éparpillement des registres d'état civil à travers le Québec. Faisons le point sur cette question en précisant de façon générale où on peut retracer ces registres.

On sait que par la loi les curés se devaient de produire en double les registres de baptêmes, mariages et sépultures. Une première série de ces registres est toujours conservée à la paroisse qui les produit. La seconde série est expédiée par chacun des curés au dépôt des Archives civiles ou en d'autres termes au palais de justice du district judiciaire dont relève la paroisse.

Les archives civiles dépendent du ministère de la Justice. On trouvera en annexe les adresses des différents palais de justice du Québec. En règle générale, les palais de justice conservent les registres d'état civil des paroisses qui relèvent de leur district judiciaire. Cependant, à la suite d'une entente avec le ministère des Affaires culturelles, certains palais de justice ont versé aux Archives nationales les registres d'état civil antérieurs à 1875, et verseront dans les années à venir les registres ayant plus de cent ans d'existence. Ainsi en 1980 les Archives nationales devraient recevoir en principe les registres antérieurs à cent ans, c'est-à-dire antérieurs à 1880.

Cependant, dans l'état actuel des choses, les dépôts des Archives nationales qui ont reçu des registres d'état civil ne possèdent que ceux qui sont antérieurs à *1875*. De plus, les dépôts des Archives nationales n'ont pas tous reçu des palais de justice de leur secteur les registres d'état civil antérieurs à 1875.

Cette situation, on le conçoit, cause beaucoup de confusion. Le tableau suivant cependant aidera les chercheurs à repérer facilement l'endroit où sont conservés les registres qu'ils veulent consulter.

Si ces registres se trouvent dans un palais de justice, les chercheurs doivent obtenir au préalable la permission du directeur général des greffes pour aller les consulter. Dans ce but, ils doivent écrire à ce dernier à l'adresse suivante : ministère de la Justice, 1200 route de l'Église, Sainte-Foy, Québec, G1V 4M1. Dans leur lettre, ils ont à préciser dans quel but ils veulent consulter les registres et combien de temps (jours, semaines ou mois) ils ont l'intention d'aller au palais de justice en question.

En ce qui a trait aux dépôts des Archives nationales, pour avoir accès à la consultation, les chercheurs doivent obtenir au préalable un laissez-passer. On obtient les formulaires aux dépôts mêmes des Archives nationales, ou encore en les demandant par courrier. Pour s'éviter des inconvénients, les chercheurs devraient se procurer ces formulaires avant leur première visite aux Archives nationales.

Ainsi, si vous désirez obtenir la copie d'un acte de baptême, mariage ou sépulture qui a eu lieu dans les cent dernières années, vous pouvez vous adresser au curé de la paroisse où le mariage a été célébré ou au bureau des archives civiles de la région où se trouve la paroisse en question.

Dans les deux cas, vous devez connaître la date exacte de l'acte que vous désirez obtenir, et il vous en coûtera deux ou cinq dollars pour en obtenir une copie, suivant que vous vous adresserez au palais de justice ou à la paroisse.

Si par contre vous désirez obtenir une copie d'un acte antérieur aux cent dernières années, vous devez procéder de la même façon, sauf si les registres ont été versés à un des dépôts des Archives nationales.

Le tableau suivant fait le point sur la question. On y trouve la liste des comtés de la province de Québec avec référence aux palais de justice ou aux dépôts des Archives nationales où sont déposés les registres d'état civil des paroisses de chacun de ces comtés.

Pour savoir à quel comté appartiennent les différentes paroisses du Québec, les chercheurs consulteront le Répertoire toponymique du Québec publié récemment par la Commission de toponymie et qu'on peut se procurer chez l'Éditeur officiel du Québec au prix de $15.

Endroits où sont conservés les registres d'État civil

Comtés	Palais de justice	Archives nationales
Abitibi-Est	Amos	
Abitibi-Ouest	Amos	
Abitibi 1917–1921	Québec	
Argenteuil	Saint-Jérôme	
Arthabaska	Arthabaska	
Ashuanipi (1965)	Hauterive	
Ashuanipi (territoire)	Québec	
Bagot	St-Hyacinthe	
Beauce	St-Joseph-de-Beauce	
Beauharnois	Valleyfield	
Bellechasse	Montmagny	Québec (antérieur à 1875)
Berthier	Joliette	Montréal (antérieur à 1875)
Bonaventure	New Carlisle	
Brome	Cowansville	
Chambly	Montréal	Montréal (antérieur à 1875)

Champlain	Trois-Rivières	Trois-Rivières (antérieur à 1875)
Charlevoix	La Malbaie	Québec (antérieur à 1875)
Châteauguay	Valleyfield	
Chicoutimi	Chicoutimi	
Côte-Nord	Québec	
Côte-Nord (1965)	Hauterive	
Compton	Sherbrooke	
Deux-Montagnes	Saint-Jérôme	
Dorchester	St-Joseph-de-Beauce	
Drummond	Arthabaska	
Drummond (1964)	Drummondville	
Duplessis	Québec	
Duplessis (1965)	Hauterive	
Frontenac	St-Joseph-de-Beauce	
Gaspé	Percé	
Gatineau	Hull	
Granby	Cowansville	
Hull	Hull	
Huntingdon	Valleyfield	
Iberville	St-Jean	
Îles-de-la-Madeleine	Havre-Aubert	
Jacques-Cartier	Montréal	Montréal ant. 1875
Joliette	Joliette	
Kamouraska	Rivière-du-Loup	Québec ant. 1875
Labelle	Mont-Laurier	
Lachute	Saint-Jérôme	
Lac St-Jean	Roberval	
Lapointe	Chicoutimi	
Laprairie	Montréal	Montréal ant. 1875
L'Assomption	Joliette	
Laval	Montréal	Montréal ant. 1875
Laviolette	Trois-Rivières	Trois-Rivières ant. 1875
Laviolette (1964)	Shawinigan	
Lévis	Québec	Québec ant. 1875
L'Islet	Montmagny	Québec ant. 1875
Lotbinière	Québec	Québec ant. 1875
Magog	Sherbrooke	
Maskinongé	Trois-Rivières	Trois-Rivières ant. 1875
Maskinongé (1964)	Shawinigan	
Matane	Rimouski	
Matapédia	Rimouski	
Mégantic	Arthabaska	

Mégantic (1957)	Thetford	
Missisquoi	Cowansville	
Montcalm	Joliette	
Montmagny	Montmagny	Québec ant. 1875
Montmorency	Québec	Québec ant. 1875
Napierville	St-Jean-Iberville	
Nicolet	Trois-Rivières	Trois-Rivières ant. 1875
Noranda	Amos	
Noranda (1943)	Rouyn	
Nouveau-Québec	Québec	
Nouveau-Québec (1965)	Hauterive	
Papineau	Campbell's Bay	
Pontiac	Campbell's Bay	
Portneuf	Québec	Québec ant. 1875
Québec	Québec	Québec ant. 1875
Richelieu	Sorel	
Richmond	Sherbrooke	
Rimouski	Rimouski	
Rivière-du-Loup	Rivière-du-Loup	Québec ant. 1875
Roberval	Chicoutimi	
Roberval (1912)	Roberval	
Rouville	St-Hyacinthe	Montréal ant. 1875
Rouyn	Amos	
Rouyn (1943)	Rouyn	
Saguenay	La Malbaie	Québec ant. 1875
Saguenay (1965)	Hauterive	
Ste-Agathe	St-Jérôme	
St-Hyacinthe	St-Hyacinthe	Montréal ant. 1875
St-Jean	St-Jean (Iberville)	
St-Maurice	Trois-Rivières	Trois-Rivières ant. 1875
St-Maurice (1964)	Shawinigan	
Shefford	Cowansville	
Sherbrooke	Sherbrooke	
Sorel	Sorel	
Soulanges	Montréal	Montréal ant. 1875
Stanstead	Sherbrooke	
Témiscamingue	Ville-Marie	
Témiscouata	Rivière-du-Loup	Québec ant. 1875 En partie seulement
Trois-Rivières	Trois-Rivières	Trois-Rivières ant. 1875
Vaudreuil	Montréal	Montréal ant. 1875
Verchères	Montréal	Montréal ant. 1875
Wolfe	Sherbrooke	
Yamaska	Sorel	

Les dépôts d'archives judiciaires

ABITIBI	891, 3e rue ouest Amos J9T 2T4
ARTHABASKA	800, boul. Bois-Francs sud Arthabaska G6P 4E3
BEAUCE	795, avenue du Palais St-Joseph GOS 2VO
BEAUHARNOIS	180, Salaberry Valleyfield J6S 4V8
BEDFORD,	920, rue Principale Cowansville J2K 1K2
BONAVENTURE	Rue Principale, C.P. 157 New-Carlisle G0C 1Z0
CHICOUTIMI	202 est, rue Jacques-Cartier Chicoutimi G7H 5C5
DRUMMOND	1680, boul. St-Joseph Drummondville J2C 2G3
GASPÉ	Rue Principale, C.P. 188 Percé G0C 2L0 Havre-Aubert G0B 1J0
HAUTERIVE	71, avenue Mance Baie-Comeau G4Z 1N2
HULL	17, rue Laurier Taché Hull J8X 4A8
IBERVILLE	109, rue St-Charles St-Jean J3B 2C2
JOLIETTE	450, rue St-Louis Joliette J6E 2Y8
KAMOURASKA	33, rue de la Cour Rivière-du-Loup G5R 1J1

LABELLE	645, rue de la Madone Mont-Laurier J9L 1T1
MÉGANTIC	693 ouest, rue St-Alphonse Thetford-Mines G6G 5S5
MINGAN	425, boul. Laure Sept-Iles G4R 1X6
MONTMAGNY	25, rue du Palais de Justice Montmagny G5V 1P6
MONTRÉAL	1 est, rue Notre-Dame Suite 1.01 Montréal H2Y 1B6
PONTIAC	John's Street C.P. 159 Campbell's Bay J0X 1K0
QUÉBEC	367 est, boul. Charest Québec G1K 3H3
RICHELIEU	46, rue Charlotte Sorel J3P 1G3
RIMOUSKI	183, rue de la Cathédrale Rimouski G5L 5J1
ROBERVAL	750, boul. St-Joseph Roberval G8H 2L5
	95, boul. St-Joseph Case postale 7 Alma G8B 5V5
ROUYN-NORANDA	2, avenue du Palais Rouyn J9X 2N9
SAGUENAY	30, Chemin de la Vallée La Malbaie G0T 1J0
ST-FRANÇOIS	191, avenue du Palais Sherbrooke J1H 4R1

ST-HYACINTHE	1550, rue des Saules St-Hyacinthe J2S 2S8
ST-MAURICE	791, 5e Rue Shawinigan G9N 1G2
	Hôtel de Ville Rue Commerciale Case postale 7 La Tuque G9X 3P1
TÉMISCAMINGUE	8, rue St-Gabriel nord Ville-Marie J0Z 2W0
TERREBONNE	400, rue Laviolette St-Jérôme J2Y 2T6
TROIS-RIVIÈRES	250, rue Laviolette Trois-Rivière G9A 1T9

Les dépôts des Archives nationales

MONTRÉAL	Archives nationales du Québec 100, rue Notre-Dame Est Montréal, Québec H2Y 1C1
OUTAOUAIS	Archives nationales du Québec Place Du Centre 170, rue Hôtel de Ville Hull, Québec J8X 4C2
QUÉBEC	Archives nationales du Québec Case postale 10450 Sainte-Foy, Québec G1V 4N1
	Maison des Archives nationales du Québec Pavillon Casault — Portes 1 et 2 1210, Avenue du Séminaire Sainte-Foy, Québec G1K 7P4

SHERBROOKE/ESTRIE

Archives nationales du Québec
740, rue Galt Ouest
Sherbrooke, Québec
J1H 1Z2

ABITIBI/TÉMISCAMINGUE

Archives nationales du Québec
200, 9e rue,
Noranda, Québec
J9X 2B9

TROIS-RIVIÈRES

Archives nationales du Québec
225, rue des Forges, Suite 408
Trois-Rivières, Québec
G9A 2G7

SAGUENAY/LAC ST-JEAN

Archives nationales du Québec
555, rue Bégin
Chicoutimi, Québec
G7H 4N7

GASPÉSIE/BAS SAINT-LAURENT

Archives nationales du Québec
162, rue Lavoie
Rimouski, Québec
G5L 5Y7

Les sociétés de généalogie

– Société de généalogie de Québec
Case postale 2234
Québec, Québec
G1K 7N8

– Publication: *L'Ancêtre*
(Revue mensuelle)
– Cotisation: $15.00
– Réunion mensuelle

– Société généalogique
canadienne-française
Case postale 335
Place d'Armes
Montréal, Québec
H2Y 3H1

– Publication: *Les Mémoires de la SGCF*

(Revue trimestrielle)
Cotisation: $10.00
– Réunion mensuelle

– Société généalogique des
Cantons de l'Est
Case postale 635
Sherbrooke, Québec
J1H 5K5

– Publication: *L'Entraide généalogique*
– Réunion mensuelle
– Cotisation annuelle
de membre: $5.00

- Société de généalogie de la
  Mauricie et des Bois-Francs
  Case postale 901
  Trois-Rivières, Québec
  G9A 5K2

- Publication : *L'Héritage* (trimestriel)

- Société de généalogie de
  l'Outaouais
  Case postale 2025, succ. « B »
  Hull, Québec
  J8X 3Z2

- Publication : *L'Outaouais
  généalogique* (Revue mensuelle)
- Cotisation : $10.00
- Réunion mensuelle

- Société canadienne de
  généalogie Hull-Ottawa
  119, rue Charlotte
  Ottawa, Ontario
  K1N 8K4

- Réunion mensuelle

**Greffes de notaires dont l'inventaire est publié
par les Archives nationales du Québec.**

ADHEMAR, Antoine, Montréal (1668–1714). Vol. V, pp. 3–334 ; Vol. VI,
  p. 3–312 — Trois-Rivières (1674–1699), Vol. XXVII, p. 271.
AMEAU, Séverin, Trois-Rivières. Première partie (1651–1690). Vol. XI,
  pp. 49–164. Deuxième partie (1690–1702). Vol. XXVI, pp. 11–33.
AUBER, Claude, Québec (1652–1693). Vol. I, pp. 115–149.
AUDOUART, Guillaume, Québec (1647–1663). Vol. I, pp. 33–115.
BADEAU, François, Québec (1654–1657). Vol. I, pp. 157–159.
BANCHERON, Henry, Québec (1646–1647). Vol. I, pp. 20-21.
BARETTE, Guillaume, Montréal (1709–1744). Vol. XXI, pp. 239–443.
BASSET, Bénigne, Montréal (1657–1699). Vol. I, pp. 161–322.
BECQUET, Romain, Québec (1663–1682). Vol. II, pp. 252–279 et Vol. III,
  pp. 3–195.
BERMEN, Laurent, Québec (1647–1649). Vol. I, pp. 21–24.
BOUJONNIER, Flour, Trois-Rivières (1650-1651). Vol. XXVII, pp. 269-270.
BOURDON, Jacques, Montréal (1677–1720). Vol. X, pp. 69–97.
BOURGINE, Hilaire, Montréal (1685–1690). Vol. XI, pp. 5–46.
BOURON, Jean-Henry, Montréal (1750–1760). Vol. XXIII, pp. 277–312.
CABAZIE, Pierre, Montréal (1673–1693). Vol. X, pp. 5–35.
CARON, Joseph, Trois-Rivières (1743–1746). Vol. XXVI, pp. 35–61.
CHAMBALON, Louis, Québec. Première partie (1692–1702). Vol. XVIII.
  Deuxième partie (1703–1716). Vol. XIX. Index (1692–1716). Vol. XX.
CHOREL DE ST-ROMAIN, René, Montréal (1731-1732). Vol. XVI, pp. 201–262.
CLOSSE, Raphaël-Lambert, Montréal (1651–1656). Vol. I, pp. 152–154.
COMPARET, François, Montréal (1736–1755). Vol. XIV, pp. 109–393.

LES RESSOURCES DU GÉNÉALOGISTE

CORON, François, Montréal (1721–1732). Vol. XXIII, pp. 215–276.
CUSSON, Jean, Trois-Rivières (1669–1700). Vol. XXVI, pp. 63–121.
DAVID, Jacques, Montréal (1719–1726). Vol. XII, pp. 76–287.
DEMEROMONT, Louis, Trois-Rivières (1686–1689). Vol. XXVI, pp. 123–132.
DESMARETS, Charles-D., Montréal (1753–1754). Vol. XXIII, pp. 313–326.
DUQUET, Pierre, Québec (1663–1687). Vol. II, pp. 109–248.
FILLION, Michel, Québec (1660–1688). Vol. II, pp. 94–109.
FLEURICOURT, Jean-Baptiste, Montréal (1676–1702). Vol. XIII, pp. 29–41.
FREROT, Thomas, Montréal (1669–1678). Vol. X, pp. 37–78. — Trois-Rivières
   (1677). Vol. XXVII, p. 272.
GASCHET, René, Québec (1711–1743). Vol. XVI, pp. 9–95.
GATINEAU, Nicolas, Trois-Rivières et Montréal (1650–1653). Vol. I, pp. 150–
   162 ; Vol. XXVII, p. 273.
GAUDRON DE CHEVREMONT, Charles-René, Montréal (1732–1739). Vol. XII,
   pp. 6–74.
GENAPLE, François, Québec (1682–1709). Vol. VII, pp. 1–192.
GLORIA, Jean, Québec (1663-1664). Vol. II, pp. 92–94.
GODET, Rolland, Québec (1652-1653). Vol. I, pp. 154–156.
GOURDEAU DE BEAULIEU, Jacques, Québec (1662-1663). Vol. II, p. 91.
GUILLET DE CHAUMONT, Nicolas-Augustin, Montréal (1727–1752). Vol. XVI,
   pp. 97–198.
GUITET, Jean, Québec (1637-1638). Vol. I, pp. 9-10.
HERLIN, Claude, Trois-Rivières (1659–1663). Vol. II, pp. 89–98.
JACOB, Étienne, Québec (1680–1726). Vol. VII, pp. 193–300.
JACOB, Joseph, Québec (1726–1748). Vol. VII, pp. 101–236.
JANNEAU, Étienne, Québec (1691–1743). Vol. XIV, pp. 7–104.
JANVRIN DUFRESNE, Jean-Baptiste, Montréal (1733–1750). Vol. XXIV,
   pp. 163–282.
LA RIVIÈRE, Hilaire-Bernard de, Québec (1707–1725). Vol. VIII, pp. 237–274.
LA RUE, Guillaume de, Trois-Rivières (1664–1676). Vol. XXVI, pp. 133–149.
LAURENT, Louis, sieur de Portail, Trois-Rivières (1661–1663). Vol. XXVI,
   pp. 155–164.
LA TOUSCHE, Jacques de, Trois-Rivières (1664–1669). Vol. XXVI, pp. 205–253.
LECOMTE, Jean, Québec (1668). Vol. VIII, pp. 275–281.
LECOUSTRE, Claude, Québec (1647-1648). Vol. I, pp. 24–28.
LEPAILLEUR, François, Montréal (1733–1739). Vol. XXV.
LESIEUR, Charles, Trois-Rivières (1689–1696). Vol. XXVII, pp. 267-268.
LESPINASSE, Jean de, Québec (1637). Vol. I, pp. 8-9.
LOUET, Jean-Claude, Québec (1718–1737). Vol. X, pp. 153–180.
MAUGUE, Claude, Montréal (1674–1696). Vol. IX, pp. 5–328.
METRU, Nicolas, Québec (1678–1700). Vol. VIII, pp. 283–287.
MICHON, Abel, Québec (1709–1749). Vol. XXII.
MOREAU, Michel, Montréal (1681–1698). Vol. X, pp. 90–151.
MOUCHY, Nicolas de, Québec et Montréal (1664–1667). Vol. II, pp. 249–252.
PETIT, Pierre, Trois-Rivières (1713–1735). Vol. XXVII, pp. 1–107.
PEUVRET DE MESNU, Jean-Baptiste, Québec (1653–1659). Vol. II, pp. 1–6.

PILLIAMET, Phil.-P., Montréal (1755–1758). Vol. XXIII, pp. 327–332.
PIRAUBE, Martial, Québec (1639–1645). Vol. I, pp. 10–15.
PORLIER, C.-J., Montréal (1733–1744). Vol. XV, pp. 9–281.
POTTIER, Jean-Baptiste, Montréal et Trois-Rivières (1686–1711). Vol. XI, pp. 167–258.
POULIN, Pierre, Trois-Rivières (1708–1739). Vol. XXVI, pp. 165–203.
RAGEOT, Gilles, Québec (1666–1692). Vol. III, pp. 197–300; Vol. IV, pp. 3–254.
RAIMBAULT, Joseph-Charles, Montréal (1727–1737). Vol. XXI, pp. 1–228.
ROY dit CHATELLERAULT, Michel, Trois-Rivières (1668–1709). Vol. XXVII, pp. 109–151.
ROUER DE VILLERAY, Louis, Québec (1653–1656). Vol. I, pp. 159-160.
ROUSSELOT, Pierre, Québec (1738–1756). Vol. XXIII, pp. 1–184.
SAINT-PÈRE, Jean de, Montréal (1648–1657). Vol. I, pp. 29–32.
SANGUINET, Simon (père), Montréal (1734–1747). Vol. XIII, pp. 43–212.
SENET, Nicolas, Montréal (1704–1731). Vol. XVIII.
SOUSTE, André, Montréal (1745–1769). Vol. XXIV, pp. 1–161.
TAILHANDIER, Marien, Montréal (1688–1731). Vol. VIII, pp. 5–99.
TÉTRO, Jean-Baptiste, Montréal (1712–1728). Vol. XIII, pp. 5–26.
TRONQUET, Guillaume, Québec (1643–1648). Vol. I, pp. 15–19.
TROTAIN dit SAINT-SEURIN, François, Trois-Rivières (1687–1731). Vol. XXVII, pp. 153–233.
VACHON, Paul, Québec (1658–1693). Vol. II, pp. 6–89.
VERON DE GRANDMESNIL, Étienne, Trois-Rivières (1705–1721). Vol. XXVII, pp. 235–265.
VERREAU, Barthélémy, Québec (1711–1718). Vol. XXIII, pp. 185–213.

On trouve des exemplaires de ces greffes de notaires aux dépôts des Archives nationales du Québec et dans certaines bibliothèques spécialisées.

Quelques autres inventaires de greffes de notaires, notamment pour la région de Trois-Rivières, ont été publiés:

THÉRIAULT, Yvon, Inventaire des greffes des notaires de Trois-Rivières: Du Portail, Louis-Laurent (1660–1663), Cap-de-la-Madeleine, 52 actes; Herlin, Claude (1659–1663), Cap-de-la-Madeleine, 21 actes; De Larue, Guillaume (1664–1676), Champlain, 139 actes; Lesieur, Charles (1683–1693), Batiscan, 8 actes; De La Tousche, Jacques (1664–1668), Cap-de-la-Madeleine, 395 actes; Demoromont (1686–1689), Champlain, 39 actes; Roy dit Chatellerault, Michel (1668–1708), Sainte-Anne-de-la-Pérade, 345 actes.

MARTEL, Jules, Inventaire et index des greffes des notaires du Régime français: Pressé, Hyacinthe (1736–1746), Trois-Rivières, 695 actes; Rigaud, Élie-François (1750–1778), Maskinongé, 1 350 actes; Duclos, Nicolas (1731–1769), Batiscan, 1 650 actes; Pillard, Louis (1736–1767), Neuville et Trois-Rivières, 3 083 actes; Index des actes notariés du Régime français à Trois-Rivières (1634–1760).

ANNEXE 2:
BIBLIOGRAPHIE THÉMATIQUE — VIE DES ANCÊTRES

À consulter sur chacun de ces thèmes les divers articles parus dans les numéros du BULLETIN DE RECHERCHES HISTORIQUES et de la REVUE D'HISTOIRE DE L'AMÉRIQUE FRANÇAISE.

SIGLES
BRH — BULLETIN DE RECHERCHES HISTORIQUES
RHAF — REVUE D'HISTOIRE DE L'AMÉRIQUE FRANÇAISE
CHR — CANADIAN HISTORICAL REVIEW
RAPQ — RAPPORT DE L'ARCHIVISTE DE LA PROVINCE DE QUÉBEC

AGRICULTURE
SÉGUIN, R.L., *La civilisation traditionnelle de l'habitant aux XVIIe et XVIIIe siècles.* Coll. Fleur de Lys, Mtl, Fides, 1967, 701 p.
L'équipement de la ferme canadienne au 17e et au 18e siècles. Montréal, Ducharme, 1959.

OUELLET, F., *La mentalité et l'outillage économique de l'habitant canadien.* (1760). BRH, 62 (1956) p. 131–136.

ADMINISTRATION
LANCTÔT, G., *L'administration de la Nouvelle-France.* Paris, Champion, 1929.

FRÉGAULT, G., *Politique et politiciens au début du XVIIIe siècle.* In Écrits du Canada français. Vol. XI, p. 91–208.

AMEUBLEMENT

PALARDY, Jean, *Les meubles anciens du Canada français*. Mtl, Pierre Tisseyre, 1971, 411 p.

LESSARD, Michel et MARQUIS, Huguette, *Encyclopédie des antiquités du Québec*. Mtl, éd. de l'Homme, 1971, 526 p.

ROY, Antoine, *Le coût et le goût des meubles au Canada sous le régime français*, in Le Cahier des Dix, Mtl, 1953, Vol. 18, pp. 228–239.

ARMES

HAMILTON, Edward P., *The french army in America*, Museum Restoration Service, Ottawa, 1967.

ARTS

BELLERIVE, G., *Artistes-peintres canadiens-français: les Anciens*. Québec, Garneau, 1925-26, 2 vol.

HARPER, J. Russell, *La peinture au Canada, des origines à nos jours*. Québec, P.U.L. 1966.

MORISSET, G., *Coup d'œil sur les arts en Nouvelle-France*. Québec, 1941.

BESTIAUX

SÉGUIN, R.L., *Le cheval et ses implications historiques dans l'Amérique française*. In RHAF V, 2 (sept. 1951), p. 227–251.

COMMERCE

BILODEAU, E., *Liberté économique et politique des Canadiens sous le régime français*. In RHAF, X, 1 (juin 1956) p. 49–68.

REID, A.G., *General trade between Quebec and France during the french regime*. In CHR, 34, no 1 (mars 1953) p. 18–32.

CORVÉES

LEMAY, L. Pamphile, *Fêtes et corvées*. Lévis, 1898.

SANFAÇON, R., *La construction du premier chemin Québec-Montréal et le problème des corvées* (1706–1737) in RHAF, Vol. XII, no 1 (juin 1958) p. 3–29.

ENCAN

OUELLET, F., *La mentalité et l'outillage économique de l'habitant canadien* (1760). À propos d'un document sur l'encan in BRH 62, (1956) p. 131–136.

ENGAGEMENT voir aussi ORIGINE

DEBIEN, G., *Engagés pour le Canada au XVIIe siècle, vus de La Rochelle*, in RHAF, VI, 2 (sept. 1952) p. 177–220.

MALCHELOSSE, G., *Les fils de famille en Nouvelle-France*, in Cahier des Dix, XI, (1946) p. 261–311.

ESCLAVAGE

TRUDEL, M., *L'esclavage au Canada français*. Québec, PUL, 1960.

FEU

Les catastrophes dans la Nouvelle-France, in BRH, 53 (1947) p. 5–19; 35–48.

Les conflagrations à Québec sous le régime français, in BRH, 31 (1925), p. 65–76; 97–103.

MASSICOTTE, E.Z., *Les incendies à Montréal sous le régime français* in BRH, 25 (1919) p. 215–218.

FINANCES

HAMELIN, Jean, *Économie et société en Nouvelle-France*. P.U.L. Québec, 1960, 137 p.

FRÉGAULT, G., *Essai sur les finances canadiennes*, (1700–1750) in RHAF, XII, n° 3 (déc. 1958), p. 307–322; in RHAF, XII n° 4 (mars 1959) p. 459–484.

LAHAISE, Robert, *Les principales phases de l'évolution économique en Nouvelle-France*, in Économie Québécoise. Mtl, P.U.Q., 1969, p. 11–38.

TRUDEL, M., *Initiation à la Nouvelle-France*. Mtl et Toronto, Holt, Rinehart et Winston, 1971, 323 p.

HABILLEMENT

DOYON, Madeleine, *Le costume traditionnel féminin*. Archives de Folklore 1, Éd. Fidès, 1946, p. 112–120, 2, Éd. Fidès, 1947, p. 183–189.

ROY, P.-Georges, *Tissus d'autrefois*. BRH 1937, N° 8, p. 240–244; N° 9, p. 267–271.

SÉGUIN, R.L., *Le costume civil en Nouvelle-France*. Bulletin n° 215. Musée national du Canada, Ottawa, 1968, 330 p.

HABITATION

LESSARD, Michel et MARQUIS, Huguette, *Encyclopédie de la maison québécoise. 3 siècles d'habitations*. Mtl, éd. de l'Homme, 1972, 727 p.

GAUTHIER-LAROUCHE, G., *L'évolution de la maison rurale laurentienne*. Québec, P.U.L. 1967.

SÉGUIN, Robert-L., *La maison canadienne*. Musée National du Canada, Bulletin N° 226, Ottawa, 1968, 92 p.

MORISSET, Gérard, *L'architecture en Nouvelle-France*. Québec, Chartier et Dugal, 1949, 150 p.

HEURE voir aussi *OBJETS USUELS* et *VIE DE L'HABITANT*

MASSICOTTE, E.Z., *Cadrans, sabliers, horloges, montres et pendules sous le régime français*. In BRH, n° 6, 1929, p. 325–330.

HIVER

MASSICOTTE, E.Z., *L'usage des poêles sous le régime français*. BRH 1915, P. 334–335.

BEAUBIEN, Chs P., abbé, *Le chauffage de nos églises autrefois*. BRH, V (1899) p. 57–59.

COLLET, Paulette, *L'hiver dans le roman canadien-français*. Québec, P.U.L. 1965, 281 p.

DESFONTAINES, Pierre, *L'homme et l'hiver au Canada*. Paris, Gallimard, 1957, 293 p.

CARLE, Pierre et MICHEL, Jean-Louis, *L'homme et l'hiver en Nouvelle-France*. Collection documents d'histoire. Les Cahiers du Québec. Mtl, éd. Hurtubise, 1972, 206 p.

INDUSTRIE

FAUTEUX, Joseph-Noël, *Essai sur l'industrie au Canada, sous le régime français*. Imp. du Roi, Louis A. Proulx, 1927, 572 p. 2 vol.

GIRARD, Jacques, *Les industries de transformation de la Nouvelle-France*, in Mélanges géographiques canadiens offerts à Raoul Blanchard. Québec, P.U.L. 1959, p. 305–320.

INSTRUCTION

GOSSELIN, A., *L'instruction au Canada sous le régime français, 1635–1760*. Québec, Laflamme & Proulx, 1911.

ROY, A., *Les lettres, les sciences et les arts au Canada, sous le régime français*. Paris, Jouve et Cie, 1930.

JEUX voir aussi *CORVÉE* et *VIE DE L'HABITANT*

DOYON, Madeleine, *Jeux, jouets et divertissements de la Beauce*. Archives de folklore, Québec, U.L. vol. 3, 1948, p. 159–211.

SÉGUIN, R.L., *Les divertissements en Nouvelle-France*. Ottawa, 1968, 79 p. *Les jouets anciens du Québec*. Mtl, éd. Léméac, 1969, 109 p.

MASSICOTTE, E.Z., *Le charivari au Canada*. In BRH 32, (1926) p. 712–725.

JURONS voir aussi *LANGAGE*

SÉGUIN, R.L., *L'injure en Nouvelle-France*. Mtl, Léméac, 1976, 302 p.

JUSTICE

I – *Réglementations concernant la justice*

Inventaire des Ordonnances des Intendants de la Nouvelle-France. Beauceville, L'Éclaireur, 1914, 4 vol.

Édits, ordonnances royaux, déclarations et arrêts du Conseil d'État du roi concernant le Canada. Québec, Fréchette, 1854, 3 vol.

BELLEFEUILLE DE, *Les Édits et Ordonnances royaux et le Conseil Supérieur de Québec*, in Revue Canadienne, tome 6 (1869).

MASSICOTTE, E.-Z., *Montréal sous le régime français*. Répertoire des arrêts, édits, mandements et règlements (1640–1760). Montréal, Ducharme, 1919.

ROY, P.-G., *Ordonnances, Commissions etc..., des Gouverneurs et Intendants de la Nouvelle-France*, 1639–1706. Beauceville, L'Éclaireur, 1924.

A.P.Q., *Procédures judiciaires en matières criminelles (1665–1696)*.

II – *Les institutions judiciaires*

DELALANDE, J., *Le Conseil Souverain de la Nouvelle-France*. Québec, Proulx, 1927, 358 p.

CHAUVEAU, *Introduction aux Jugements et Délibérations du Conseil Souverain de la Nouvelle-France*, (Québec 1885–91).

LANCTÔT, G., *L'Administration de la Nouvelle-France*. Paris, Champion, 1929.

LAREAU, E., *Histoire du droit canadien depuis les origines de la colonie jusqu'à nos jours* (Mtl, 1880–89) 2 vol.

LEMIEUX, Hon. R., *Les origines du Droit franco-canadien*. (Mtl, 1901).

ROY, P.G., *La Maréchaussée de Québec sous le régime français*, in Mémoires de la Société Royale du Canada, section 1, vol. XII, 1918.

«Mémoire du Procureur Général d'Auteuil au Ministre Pontchartrain sur l'administration de la justice au Canada en 1707» in RAPQ 1922-23, p. 15–21.

GAREAU, J.-B., «*La Prévôté de Québec*», in RAPQ 1943-44, p. 51–146.

III – *Les officiers de Justice.*

ROY, J.E., *Les Intendants de la Nouvelle-France*, in Procès-verbaux de la Société Royale du Canada 1903.

ROY, P.G., *Les Conseillers au Conseil Souverain de la Nouvelle-France* in Mémoires de la Société Royale du Canada, Série III, Tome IX (1916).

IV – *Les documents d'archives relatifs à la justice*

   1. *Inventaires et index*

ROY, P.G., *Inventaire des insinuations du Conseil Souverain de la Nouvelle-France*. Beauceville, 1921.

LÉTOURNEAU, H. et LABRÈQUE, Lucile, *Inventaire de pièces détachées de la Prévôté de Québec, 1668–1759*, in RAPQ 1971, tome 49, p. 55–413.

LABRÈQUE, Lucile, *Inventaire de pièces détachées de cours de justice de la Nouvelle-France (1638–1760)* in RAPQ 1971, tome 49, p. 5–50.

ROY, P.G., *Inventaire des Jugements et délibérations du Conseil Supérieur de la Nouvelle-France de 1717 à 1760*. Beauceville, L'Éclaireur, 1932. 7 vol. avec index.

ROY, P.-G., *Inventaire d'une collection de pièces judiciaires et notariales*. Beauceville, L'Éclaireur, 1917, 2 vol. avec index.

SECRÉTAIRE DE LA PROVINCE, *Documents judiciaires du district de Montréal sous le régime français*. Montréal, 1890-91.

ROY, P.-G., *Index des jugements et délibérations du Conseil Souverain de la Nouvelle-France*. Beauceville, 1921.

APC, *Archives judiciaires du district de Montréal*, NG-8, C5.

   2. *Documents*

a) *Imprimés*

Jugements et délibérations du Conseil souverain (ou Supérieur) *de la Nouvelle-France. 1663–1716*. Québec, 1885–1891, 6 vol. (Index: voir inventaire et index).

b) *Archives*

Registres des Conseils Souverain et Supérieur. 1663–1760. *69 vol.* Publiés et inventoriés.

Registres de la Prévôté de Québec, 1666–1759, 113 vol.

Registres numérotés de 1 à 108.

Collection de pièces judiciaires et notariales 1638–1759, 125 vol.
Cette collection comprend 4 324 articles plus 102 pièces de 44 inventaires de notaires. Voir: *Inventaire.*

Registres de bailliage. À *Montréal* — de 1651–1750, 78 registres.

Documents relatifs à la justice. Procès etc... conservés aux Archives judiciaires de Québec. La collection complète avec index sera prochainement versée aux Archives nationales.

V – *Divers*

FAUTEUX, *Le Duel au Canada*, Montréal, Les Éditions du Zodiaque, 1934.

BÉDARD, T.-P., « *Procès criminel à Québec au XVIIe siècle* ». Revue Canadienne, Nouvelle série, Tome II, 2, 1882, p. 216–228.

TRUDEL, M., *L'Esclavage au Canada français.* Québec, PUL, 1960, 225 p.

MOREL, A., *La Justice criminelle en Nouvelle-France*, dans Cité libre, janvier 1963, p. 26–30.

ROYER, R., *Les crimes et châtiments au Canada français, du XVIIe au XXe siècle.* (Montréal, Cercle du Livre de France, 1966).

LANGAGE

DUNN, Oscar, *Glossaire franco-canadien et vocabulaire de locutions vicieuses usitées au Canada.* Québec, Imp. A. Côté & Cie, 1880, 199 p.

DIONNE, Narcisse-Eutrope, *Le parler populaire des Canadiens français ou lexique de canadianismes, des acadianismes, anglicanismes, américanismes.* Québec, Laflamme & Proulx, 1919. XXIV, 671 p.

SOCIÉTÉ DU PARLER FRANÇAIS AU CANADA, *Glossaire du parler français au Canada.* Québec, l'Action Sociale, 1930. XIX, 709 p.

BÉLISLE, Louis-Alexandre, *Dictionnaire général de la langue française au Canada.* Québec, Bélisle (1944 et 1954), 1,390 p.

JUNEAU, Marcel, *Contribution à l'histoire de la prononciation française au Québec.* Québec, P.U.L. 1972, 311 p.

RIVARD, A., *Études sur les parlers de France au Canada.* Québec, 1914.

LÉGENDES voir aussi *SORCELLERIE*

AUBRY, Claude, *Le violon magique et autres légendes du Canada français.* Ottawa, éd. des Deux Rives, 1968, 99 p.

MÉLANÇON, Claude, *Légendes indiennes du Canada.* Mtl, éd. du Jour, 1967, 160 p.

ARCHIVES DE FOLKLORE, Publication de l'Université Laval.

Légendes et coutumes. (Métiers de la Nouvelle-France), Mtl, Beauchemin, 1934.

MARIAGE

Nish, C., *La bourgeoisie et les mariages*, 1729–1748. In RHAF XIX, n⁰ 4 (mars 1966) p. 585–605.

Langlois, Michel, *Quelques ancêtreries*. In L'Ancêtre, Société de Généalogie de Québec, Vol. 4, N⁰ 1, sept. 1977, p. 11–14.

Leclerc, P.A., ptre, *Le mariage sous le régime français*, In RHAF XIII, n⁰ 2 (sept. 1959) p. 230–246 ; n⁰ 3 (déc. 1959) p. 374–401 ; n⁰ 4 (mars 1960) p. 525–543 ; XIV, n⁰ 1 (juin 1960) p. 34–60 ; n⁰ 2 (sept. 1960) p. 226–245.

MÉDECINE

Ahern, George et M.-J., *Notes pour servir à l'histoire de la médecine dans le Bas-Canada*. Québec, 1923.

Casgrain, H.-R., *Histoire de l'Hôtel-Dieu de Québec*, Québec, Brousseau, 1878.

Massicotte, E.Z., *Charlatans notoires*, in BRH, 36 (1930) p. 118. *Chirurgiens, barbiers*, in BRH, 48 (1942) p. 285.

MÉTIER voir aussi VIE DE L'HABITANT

Barbeau, Marius, *Confrérie des menuisiers de madame Sainte-Anne*. Mtl, Fidès, 1946, p. 72–96. Archives de Folklore, vol. 1.
Les Levasseur, maîtres-menuisiers, sculpteurs et statuaires. Mtl, Fidès, 1948, p. 35–52. Archives de Folklore, vol. 3.
Maîtres artisans de chez-nous. Mtl, éd. du Zodiaque, 1942.
Nos bâtisseurs, Le Canada Français, Vol. 29, nov. 1941.
Potiers canadiens, in Technique, Sept. 1948, p. 425–431.

Tessier, Mgr Albert, *Les forges du St-Maurice, 1729–1883*, Trois-Rivières, Éd. du Bien Public, 1952.

Falardeau, Émile, *Artistes et artisans du Canada*. Mtl, Ducharme, 1940–1943, 4 vol.

MILICE

Lanctôt, G., *Les troupes de la Nouvelle-France*, in Rapport de la Canadian Historical Association pour l'année 1926 : p. 40–60.

Malchelosse, G., *Milice et troupes de la marine*. in Cahier des Dix, XIV (*1944*) p. 115–147.

De Bonnault, C., *Le Canada militaire*. Etat provisoire des officiers de milice, de 1641 à 1760, in RAPQ 1949–1951, p. 261–527.

MORT voir aussi RELIGION et VIE DE L'HABITANT

Charbonneau, Hubert, *Vie et mort de nos ancêtres*. Étude démographique. Mtl, P.U.M. 1975, 267 p.

NAVIGATION

Pellegrin, *Mémoires sur la navigation vers 1740*. RAC, 1905, I, 5, p. 3–6.

Ignotus, *La construction des vaisseaux sous le régime français*. In BRH X, 1904, p. 179–187.

Roy, Joseph-Edmond, *La construction des navires à Québec*. In Bulletin de la Société de géographie de Québec, Vol. II, 1917, p. 187–201.

Mathieu, Jacques, *La construction navale royale à Québec, 1739–1759*. Québec, Société historique, N° 23, 1971, 110 p.

Lafrance, Jean, *Les épaves du Saint-Laurent 1650–1760*. Mtl, éd. de L'Homme, 1972, 175 p.

Langlois, Michel, *Liste des navires venus en Nouvelle-France de 1657 à 1665*. In L'Ancêtre, Société de Généalogie de Québec, Vol. 3, N° 1, sept. 1976, p. 3–15.

La venue des ancêtres. (À paraître bientôt dans l'ANCÊTRE).

NOURRITURE voir aussi VIE DE L'HABITANT

Malchelosse, G., *Ah ! mon grand'pèr' comment il buvait !* In Cahier des Dix, no 8, p. 15.

Barbeau, M., *Ce que mangeaient nos ancêtres*, in MSGCF, Vol. I, no 1, p. 14.

Roy, P.-G., *Bière et vin*, in RAPQ 1939-40, p. 264.

OBJETS USUELS

Genêt, Nicole, Décarie-Audet, Louise et Vermette, Luce, *Les objets familiers de nos ancêtres*. Mtl, éd. de L'Homme, 1974, 304 p.

Séguin, R.-L., *Les ustensiles en Nouvelle-France*. Mtl, Éd. Leméac, 1972, 129 p.

Martin, Paul-Louis, *La berçante québécoise*. Mtl, Éd. Boréal Express, 1973, 173 p.

ORIGINE

Godbout, A., *Engagés pour le Canada en 1658*, in MSGCF, Vol. IX, n° 2 (avril 1958) p. 78–84; vol. 3-4 (juil.–oct. 1958) p. 239–242; Vol. X, 1-2 (janv.–avril 1959) p. 17, 24.

Familles venues de La Rochelle en Canada, in RAPQ, 1970, p. 113–367.

Les pionniers de la région trifluvienne 1634–1647. Trois-Rivières, 1934. Coll. Pages trifluviennes. 82 p.

Nos ancêtres au XVIIe siècle, in RAPQ. 1951–1953, p. 447–544; 1953–55, p. 443–536; 1955–57, p. 377–489; 1957–59, p. 381–440; 1959-60, p. 275–354; 1965 p. 145–181.

Origines des familles canadiennes-françaises. Lille, 1925, 262 p.

Vieilles familles de France en Nouvelle-France. Centre Canadien des Recherches généalogiques, Québec, 1976, 166 p.

Montagne, Madame Pierre, *Tourouvre et les Juchereau*. Québec, Société Canadienne de généalogie, 1965, 191 p.

Vaillancourt, Émile, *La conquête du Canada par les Normands*. Mtl, Ducharme, 1930, 250 p.

Sulte, Benjamin, *Histoire des Canadiens français 1608–1880*. Mtl, Wilson & Cie, 1882–1884, 8 vol.

Dumas, S., *Les filles du roi en Nouvelle-France*. Société historique de Québec, n° 24, Québec, 1972, 382 p.

PÊCHE voir aussi *VIE DE L'HABITANT*

Pêche aux anguilles, in BRH, 47 (1941) p. 219.

PEUPLEMENT

HAMELIN, Louis-Edmond, *La population totale du Canada depuis 1600*, in Cahiers de géographie de Québec, IX, 18 (avril–sept. 1965) p. 1–11.

HENRIPIN, Jacques, *La population canadienne au début du XVIIIe siècle* Paris, Presses universitaires de France, 1954, 129 p.

LANGLOIS, Georges, *Histoire de la population canadienne-française*. Mtl, Albert Lévesque, 1935, 309 p.

TRUDEL, Marcel, *La population du Canada en 1663*. Mtl, Fidès, 1973, 368 p.

POSTES

Les postes sous le régime français, in BRH, 45 (1939), p. 86.

CRUIKSHANK, E., *Les postes au commencement du régime anglais*, in BRH, VII, p. 89.

RECENSEMENT

1666 : «*Le premier recensement de la Nouvelle-France. État général des habitants du Canada en 1666*». Dans Rapport de l'Archiviste de la Province de Québec. (RAPQ) 1935–36, p. 1–154.

    SULTE, Benjamin : *Histoire des Canadiens Français*. Vol. IV, p. 52–63.

1667 : SULTE, Benjamin : *op. cit.* Vol. IV, p. 63–78.

    LAMOUREUX, Yvette : *Index du recensement de 1667*, dans Mémoires de la Société Généalogique Canadienne-Française, Vol. XVIII, janvier–avril 1967.

1681 : SULTE, Benjamin : *op. cit.* Vol. V, p. 53–90.

1716 : BEAUDET, l'abbé Louis : *Recensement de la ville de Québec en 1716*. Publication à Québec en 1887.

1731 : *Aveu et dénombrement de Louis Normand p.s.s. pour la seigneurie de l'isle de Montréal*, dans RAPQ, 1941-42, p. 3–176.

1741 : MASSICOTTE, Edmond-Z. *Recensement de Montréal en 1741*, dans Mémoires de la Société Royale du Canada, Vol. XV (1921), 3e série.

1744 : *Le recensement de Québec en 1744*, dans RAPQ, 1939-40, p. 1–154.

LES RECENSEMENTS SOUS LE RÉGIME ANGLAIS

1760 : *Recensement des habitants de la ville et gouvernement des Trois-Rivières tel qu'il a été pris au mois de septembre mil sept cent soixante*, dans RAPQ 1946-47, p. 3–53.

1762 : *Le recensement du gouvernement de Québec en 1762*, dans RAPQ 1925-26, p. 1–143.

1765 : *Recensement des gouvernements de Montréal et Trois-Rivières pour 1765*, dans RAPQ 1936-37, p. 1–121.

AUDET, F.J., *Les Habitants de la ville de Québec en 1769–1779*. In BRH, XXVII, p. 81, 119.

Les habitants de la ville de Québec en 1770-1771, in BRH, XXVI, p. 218, 247.

PERREAULT, Claude, *Montréal en 1781*, éd. Payette Radio Ltée, Mtl, 1969, 495 p.

PLESSIS, J.O. ptre, *Dénombrements de Québec en 1792, 1795, 1798 et 1805*, in RAPQ 1948-49.

À la fabrique de Québec, avec table alphabétique. Recensements de 1744, 1792, 1795, 1798, 1805, 1815, 1818, 1821, 1833.

SIGNAY, Jos. ptre, *Recensement de la ville de Québec en 1818*. Cahiers d'Histoire nᵒ 29. La Société historique de Québec, 1976, 323 p.

PERRAULT, Claude, «*Montréal en 1825*», éd. Groupe d'Études Gén. Hist. Inc. 1978, 550 p.

PLANTE, Clément, *Recensement de St-Justin de Maskinongé 1851 et 1861.*

BRETON, André, *Recensement de St-Michel de Bellechasse 1851.*

A) *Originaux des Recensements*

Les originaux des recensements sont conservés aux Archives publiques du Canada et sur microfilm aux Archives nationales à Québec.

B) *Études diverses sur les recensements*

CHARBONNEAU, Hubert; LAVOIE, Yolande; LÉGARÉ, Jacques. *Recensements et registres paroissiaux du Canada durant la période 1665*–1668. Étude critique, dans Population (25ᵉ année) 1970, p. 97–124.

CHARBONNEAU, Hubert; LÉGARÉ, Jacques. *La population du Canada aux recensements de 1666-1667*, dans Population (22ᵉ année) 1967, 1031 s.

CHARBONNEAU, Hubert; LAVOIE, Yolande. *Introduction à la reconstitution de la population du Canada au XVIIᵉ siècle*. Étude critique des sources de la période 1665–1668, dans Revue d'Histoire de l'Amérique Française, Vol. 24, nᵒ 4 (mars 1971) p. 485 ss.

GEORGES, R.P. o.f.m. cap., *Recensements et généalogie*, in MSGCF, Tome 2, p. 12–20.

Recensements et généalogie acadienne, in MSGCF, Tome 2, p. 76–87.

LANGLOIS, Michel, *Les recensements sous le Régime français*, in L'Ancêtre, Vol. 2, nᵒ 2 — oct. 1975, p. 65–75.

BRETON, André, *Les recensements du XIXᵉ siècle*, in L'Ancêtre,Vol. 2, nᵒ 4 — déc. 1975, p. 175–182.

C) *Études sur la reconstitution de la population*

DIONNE, Narcisse-Eutrope, *La colonie française à la mort de Champlain*, dans Fête de Champlain à Québec 1898, Le Courrier du livre, 1898, p. 133–142.

DIONNE, Narcisse-Eutrope, *Recensement de 1635*, dans Samuel de Champlain, fondateur de Québec... 1906, Vol. 2, p. 457–461.

MASSICOTTE, Edmond-Z., *Les colons de Montréal de 1642 à 1667*, dans BRH (Bulletin de Recherches Historiques), Vol. 33 (1927) p. 170 ss.

Les habitants de Montréal en 1673, dans BRH, Vol. 36, p. 34–47.

Premiers colons de Montréal, dans BRH, Vol. 28, p. 45 ss.

SULTE, Benjamin, *État de la population du Canada en 1739*, dans Histoire des Canadiens français, Vol. V, p. 88, 2ᵉ partie.

TRUDEL, Marcel, *Histoire de la Nouvelle-France. Le Comptoir, 1604–1627.* Montréal, Éd. Fides, 1966, p. 385 ss.

La population du Canada en 1663, Montréal, Éd. Fides, 1973, p. 157 ss.

RÉGIME SEIGNEURIAL

TRUDEL, Marcel, *Les débuts du régime seigneurial*. Mtl, Fidès, 1974, XXXIII, 313 p.

ROY, J.-Edmond, *Histoire de la seigneurie de Lauzon*. Lévis, 1897–1904, 5 vol.

DECHÊNE, Louise, *L'évolution du régime seigneurial au Canada. Le cas de Montréal aux XVIIᵉ et XVIIIᵉ siècles*, in Recherches sociographiques, 12, 2 (mai–août 1971) p. 143–184.

RELIGION voir aussi MARIAGE

GOSSELIN, A., *L'Église du Canada depuis Mgr de Laval jusqu'à la Conquête*. Québec, Laflamme & Proulx, 1914–1917, 3 vol.

FRÉGAULT, Guy, *Les finances de l'église sous le régime français*, in Écrits du Canada français (Mtl, 1959), V, p. 147–171.

PORTER, F., *L'institution catéchistique au Canada*. Deux siècles de formation religieuse 1633–1833. (Mtl, Éd. franciscaines, 1949).

ROY, V., *Le sacrement de pénitence ou la confession sous le régime français*, in RHAF, XVI, 3 (déc. 1962) p. 409–427, 4 (mars 1963) p. 567–580.

SORCELLERIE

SÉGUIN, R.-L., *La sorcellerie au Canada français du XVIIᵉ au XIXᵉ siècle*. Mtl, Ducharme, 1961, 192 p.

La sorcellerie au Québec du XVIIᵉ au XIXᵉ siècle. Mtl, Éd. Leméac, 1971, 245 p.

TERRE

TRUDEL, Marcel, *Le terrier du Saint-Laurent en 1663*. Ottawa, Éd. de l'Université d'Ottawa, 1973, XLV, 618 p.

ROY, Léon, *Les terres de la Grande-Anse, des Aulnaies et du Port-Joly*. Lévis, 1951, 304 p.

Les terres de l'île d'Orléans, in : RAPQ 1941–51, 147–260 ; 1951–53, 301–368 ; 1953–55, 1–69 ; 1973, p. 117–237.

GARIÉPY, Raymond, *Les seigneuries de Beaupré et de l'île d'Orléans*. Société historique de Québec, nᵒ 27, 1974, 266 p.

TRANSPORT voir aussi NAVIGATION et VOIRIE

ROY, J.-Edmond, *Les calèches*, in BRH 1896, p. 10.

MASSICOTTE, E.-Z., *Les canots d'écorce et voyageurs d'antan*, in BRH, 1922, p. 149.

Les véhicules de la Nouvelle-France, in BRH, 1926, p. 356.

VIE DE L'HABITANT — voir aussi : FINANCES, HIVER, JEU, OBJETS USUELS, ORIGINE

SALONE, E., *La colonisation de la Nouvelle-France*. Paris, Guilmoto, 1906.

FRÉGAULT, Guy, *La civilisation de la Nouvelle-France*. Société historique du Canada, no 3 (Ottawa, 1954).

DOUVILLE, R. et CASANOVA, J.D., *La vie quotidienne en Nouvelle-France. Le Canada de Champlain à Montcalm*. Paris, Hachette, 1964, 268 p.

SÉGUIN, R.L., *La civilisation traditionnelle de l'habitant aux XVIIe et XVIIIe siècles*. Coll. Fleur de Lys, Mtl, Fidès, 1967, 701 p.

DAWSON, Nora, *La vie traditionnelle à St-Pierre île d'Orléans*, in Les Archives de Folklore, no 8, Québec, P.U.L. 1960.

MARIE-URSULE, Sœur, *Civilisation traditionnelle des Lavallois*, in Les Archives de Folklore, no 5-6, Québec, P.U.L. 1951.

VIE LIBERTINE

SÉGUIN, R.-L., *La vie libertine en Nouvelle-France au XVIIe siècle*. Mtl, Éd. Leméac, 1972, 540 p.

VOIRIE — voir aussi TRANSPORT

ROY, P.-G., *Les grands voyers de la Nouvelle-France*. Cahier des Dix, no 8, p. 181.

ROY, P.-G., *Les chemins publics et voirie en 1785*, in Histoire de la seigneurie de Lauzon, Vol. III, p. 185.

VOYAGES voir aussi NAVIGATION et TRANSPORT

KALM, Peter, *Voyage de Kalm en Amérique*. Mtl, T. Berthiaume, 1880–

LACORNE, St-Luc de, *Journal du voyage de M. Saint-Luc de La Corne escuyer*, in *Le Navire de l'Auguste en l'an 1761*. Mtl, Fleury Mesplet, 1788.

FRANQUET, S., *Voyage et mémoires sur le Canada*. Québec, 1889.

LANGLOIS, Michel, *Le notaire Pierre Laforce (1776–1836) et son journal de voyage de 1799*. In L'Ancêtre, Société de généalogie de Québec, vol. 4, no 4, déc. 1977, p. 119–132.

ANNEXE 3:
BIBLIOGRAPHIE GÉNÉRALE

I – *SOURCES IMPRIMÉES*

1. OUVRAGES GÉNÉRAUX RELATIFS À LA GÉNÉALOGIE

   A) *Traités de généalogie*

   DE BATAGLIA, Otto Forst, *Traité de généalogie*, Éd. Spes, Lausanne, 1949.

   DURYE, Pierre, *La généalogie*, P.U.F., coll. Que sais-je?, n° 917, Paris, 1971, 126 p.

   ROYER, L.-P., *Traité pratique de recherches généalogiques*, Paris, 1958.

   SERE, J., *Traité de généalogie*, Paris, 1911.

   B) *Guides généalogiques*

   a) au Québec

   AUGER, Roland-J., «La généalogie au Québec» in *Culture Vivante* 18 (août 1970), p. 25–31.

   AUGER, Roland-J., «Comment retracer ses ancêtres au Québec, jusqu'au lieu d'origine en France», in *Mémoires de la S.G.C.F.*, vol. 21 (1970), p. 67–84.

   GINGRAS, Raymond, *Précis du généalogiste amateur*, Québec, chez l'auteur, 1973, 40 p.

   GRÉGOIRE, Jeanne, *À la recherche de nos ancêtres. Guide du généalogiste*, Montréal, 1957, 96 p.

   LANGLOIS, Michel, *Qui sont mes ancêtres?*, Fédération du loisir scientifique, coll. Neurones en loisir, Montréal, 1978.

   b) en France

   DEFERLUC, Antoine-Galace, *Comment faire votre généalogie*, Paris, 1947.

   GRANDEAU, Yann, *À la recherche de vos ancêtres. Guide du généalogiste amateur.*, Stock, Paris, 1974, 348 p.

   PARDON, J.-M., *Comment rechercher vos ancêtres*, Bruxelles, 1966.

c) aux États-Unis

SOCIÉTÉ AMÉRICAINE DES GÉNÉALOGISTES, *Genealogical research*, Éd. Milton Rubincan, Washington, 1960.

C) *Dictionnaires généalogiques*

DE JORDY, G.A., *Généalogies des principales familles du Richelieu*, Arthabaska, 1927, 2 vols.

DESAULNIERS, F.-L., *Les vieilles familles d'Yamachiche*, Beauchemin, Montréal, 1898, 2 vols.

DROUIN, Institut, *Dictionnaire national des Canadiens français 1608-1760*, Montréal et Paris, 1958, 2 vols.

GOSSELIN, D., *Dictionnaire généalogique des familles de Charlesbourg*, Québec, 1906, 593 p.

LEBŒUF, J.-Arthur, *Compléments au dictionnaire Tanguay*, S.G.C.F. Montréal, 1957-1964, 3 vols.

MASSON, Raymond, *Généalogie des familles de Terrebonne*, Thérien frères, Montréal, 1930, 4 vols.

MICHAUD, Adolphe, *Généalogie des familles de la Rivière-Ouelle*, Imprimerie H. Chassé, Québec, 1908, 705 p.

RIOUX, Grégoire, *Mon dictionnaire Tanguay annoté*, Miméographié, Rimouski, 1975.

TANGUAY, Cyprien, *Dictionnaire généalogique des familles Canadiennes*, Éd. Eusèbe Sénécal, 1871, 7 vols. Éd. Élysée, Montréal 1975, 7 vols.

D) *Bibliographie de généalogie*

DE VARENNES, Kathleen Mennie, *Sources généalogiques*, Canadiana 1951-60, Eastview, 1961, 26 p.

DE VARENNES, Kathleen Mennie, *Bibliographie annotée d'ouvrages généalogiques à la bibliothèque du parlement*, Éd. Bibliothèque du Parlement, Ottawa, 1963, 180 p.

MALCHELOSSE, Gérard, *Généalogie et généalogistes au Canada*, in Les cahiers des dix, 13 (1948), p. 269-298.

ROY, Antoine, *Bibliographie de généalogies et histoires de familles*, in Rapport de l'Archiviste de la Province de Québec, 21 (1940-41), p. 95-332.

E) *Revues généalogiques et autres*

INSTITUT D'HISTOIRE DE L'AMÉRIQUE FRANÇAISE, *Revue d'histoire de l'Amérique française*, Trimestrielle, 1947.

ROY, Pierre-Georges et collaborateurs, *Bulletin de recherches historiques*, Lévis, 1895-1968.

SOCIÉTÉ DE GÉNÉALOGIE DE L'OUTAOUAIS, *L'Outaouais généalogique*, Mensuel, Ottawa 1978.

Société de généalogie de Québec, *L'Ancêtre*, Mensuel, Québec, 1974.

Société de généalogie de la Mauricie et des Bois-Francs, *L'Héritage*, trimestriel, Trois-Rivières, 1979.

Société généalogique canadienne-française, *Les mémoires de...*, Trimestriel, Montréal, 1944.

Société généalogique des Cantons de l'Est, *L'entraide généalogique*, Sherbrooke, 1979.

Société historique du Saguenay, *Saguenayensia*, Trimestriel, 1959.

2. OUVRAGES ANCIENS UTILES À LA RECHERCHE GÉNÉALOGIQUE

A) *XVIIe siècle*

Champlain, Samuel de, *Œuvres de Champlain*, Publication Laverdière, C.H., Éd. Desbarats, Québec, 1870, 6 tomes, 2 vols.

Le Journal des Jésuites, Publication Laverdière et Casgrain, Éd. J.M. Valois, Montréal, 1892, 403 p. et Éd. François-Xavier, Montréal, 1973, 403 p.

Relations des Jésuites, Éd. Côté, 1858, 3 vols. Éd. Twaites, Cleveland Burrows, 1896–1901, 73 vols. Éd. Witlon, 40 vols. Éd. du Jour, Montréal, 1973, 6 vols.

Sagard, Gabriel, *Histoire du Canada et voyages que les frères mineurs récollets y ont faicts pour la conversion des infidèles depuis l'an 1615, par Gabriel Sagard Théodat*, Paris, 1866, 4 vols.

Sulte, Benjamin, *Lettres historiques de la mère Marie de l'Incarnation sur le Canada*, L'Action Sociale, Québec, 1927, 147 p.

B) *XVIIIe siècle*

Table des matières des rapports des Archives du Québec, 1920–1964, Imprimeur de sa majesté la reine, Québec 1965. N.B. À consulter pour cette période les titres : Journaux, Lettres et Mémoires.

C) *XIXe et début du XXe siècle*

Aubert De Gaspé, Philippe, *Mémoires*, G.E. Desbarats, Ottawa 1866, 563 p. *Les anciens Canadiens*, Augustin Côté, Québec, 1877, 2 vols.

Malchelosse, Gérard, *Mélanges historiques*, Ducharme, Montréal 1918–1934, 21 vols.

Massicotte, E.-Z., *Congés et permis déposés ou enregistrés à Montréal sous le régime français*, in Rapport de l'Archiviste de la province de Québec, 1921-22, p. 189–225.

Sulte, Benjamin, *Histoire des Canadiens français*, Éd. Wilson, Montréal, 1882, 6 vols.

3. OUVRAGES RELATIFS À L'ÉTAT CIVIL

A) *Inventaires*

GOSSELIN, F.-X., *Inventaire sommaire des archives judiciaires conservées au palais de justice de Chicoutimi*, in Rapport de l'Archiviste de la province de Québec, 1921-1922, p. 381–387.

MEILLEUR BARTHE, J.-B., *Inventaire sommaire des archives conservées au palais de justice de Trois-Rivières*, in Rapport de l'Archiviste de la province de Québec, 1920-21, p. 328–349.

PELLETIER, Louis-J., *Inventaire sommaire des archives conservées au palais de justice de la Rivière-du-Loup (en bas), district de Kamouraska*, in Rapport de l'Archiviste de la province de Québec, 1920-21, p. 321–327.

ROY, Pierre-Georges, *Inventaire des registres de l'état civil du district de...* : in Bulletin de recherches historiques Abitibi, (à Amos), Vol. 40, p. 621. Arthabaska, Vol. 37, p. 218. Beauce, Vol. 39, p. 433. Chicoutimi, Vol. 40, p. 463. Drummond, Vol. 37, p. 218. Gaspé, Vol. 37, p. 63, 107. Îles de la Madeleine, Vol. 38, p. 88. Joliette, Vol. 36, p. 732. Mégantic, Vol. 37, p. 128. Montmagny, Vol. 36, p. 562. Pontiac, Vol. 39, p. 504. Richelieu, Vol. 36, p. 614. Roberval, Vol. 40, p. 465. Saint-François, (à Sherbrooke), Vol. 37, p. 112. Saint-Hyacinthe, Vol. 37, p. 166. Témiscamingue, Vol. 39, p. 384. Terrebonne, Vol. 36, p. 690. Trois-Rivières, Vol. 39, p. 692.

ROY, Pierre-Georges, *Inventaire des registres de l'état civil conservés aux archives judiciaires de Québec*, L'Éclaireur, Beauceville, 1921.

VÉZINA et PERRON, *Inventaire sommaire des archives judiciaires conservées au palais de justice de Saint-Joseph, district de Beauce*, in Rapport de l'Archiviste de la province de Québec, 1921-22, p. 388–390.

B) *Index*

DELORME, Napoléon, *Paroisse de Saint-Pie, diocèse de Saint-Hyacinthe 1830–1900*, 388 p.

JETTÉ, Iréné, *Paroisse de Contrecœur 1678–1949*, dactylographié, 3 vols.

C) *Répertoires de mariages*

Plusieurs auteurs ont publié des répertoires de mariages, mais malheureusement il n'existe pas encore de bibliographie de répertoires de mariages. Nous ne mentionnons ici que les principaux compilateurs et éditeurs.

Société de généalogie de Québec, Société historique de Rivière-du-Loup, Société historique du Saguenay, Société généalogique des Cantons de l'Est, Les éditions Bergeron, Dominique Campagna, Irené Jetté, Benoît Pontbriand, Armand Proulx.

D) *Répertoires de baptême, mariage et sépulture*

CHARBONNEAU, Hubert et LÉGARÉ, Jacques, *Le répertoire des actes de baptême, mariage, sépulture et des recensements du Québec Ancien, les presses de l'Université de Montréal, Montréal 1980, 7 vols.*

E) *Recueils généalogiques*

BEAUMONT, Charles, *Généalogie des familles de la Côte de Beaupré*, Ottawa, 1912, 128 p. *Généalogie des familles de la Beauce*, in Rapport concernant les Archives canadiennes 1905, Vol. 1, Partie IX, 262 p.

CARBONNEAU, C.A., *Tableau généalogique des mariages célébrés dans le diocèse de Rimouski*, Imprimerie générale, Rimouski, 1936, Première série, 1701–1902, 3 vols. Deuxième série, 1902–1925, 2 vols.

FORGUES, Michel, *Généalogie des familles de l'île d'Orléans*, in Rapport concernant les Archives canadiennes 1905, Vol. II, Appendice A, 2e partie, 328 p.

GRENIER, Aimé, *Dictionnaire généalogique des familles de Saint-Bernard de Dorchester*, 187 p.

LAPOINTE, J.A., *Les familles de Mégantic et Arthabaska*, 1952, dactylographiés, 4 vols.

PAGEOT, Théophile, *Guide généalogique des mariages célébrés à l'Ancienne-Lorette (1695–1885)*, 1946, 217 p.

RIOUX, G., *Complément au tableau généalogique du diocèse de Rimouski de Mgr C.A. Carbonneau*, Rimouski 1975.

TALBOT, Éloi-Gérard, *Recueil de généalogies des comtés de Charlevoix et Saguenay depuis l'origine jusqu'à 1939*, La Malbaie, 1941, 594 p.
Recueil de généalogies des comtés de Beauce, Dorchester, Frontenac 1625–1946, Beauceville, 1946, 11 vols.
Généalogie des familles originaires des comtés de Montmagny, l'Islet et Bellechasse, Château-Richer, 1971, 16 vols.
Généalogie Charlevoix – Saguenay, Château-Richer, 6 vols.

4. OUVRAGES DIVERS UTILES À LA GÉNÉALOGIE

Voir la bibliographie sur la vie des ancêtres.

5. OUVRAGES GÉNÉRAUX RELATIFS AUX ARCHIVES

A) *Inventaires des Archives de France*

ROY, J.-Edmond, *Rapport sur les Archives de France relatives à l'histoire du Canada*, Ottawa, 1911.

B) *Inventaires des Archives publiques du Canada*

GORDON, Robert S., *Catalogue collectif des manuscrits des archives canadiennes*, director, Éd. E. Grace Maurice, Ottawa, 1975 et supplément 1976.

Houle, Françoise Caron, *Guide to the Reports of the Public Archives of Canada 1872–1972*, Public Archives, Ottawa, 1975, 97 p.
Guide des sources d'archives sur le Canada français, au Canada. Archives publiques du Canada, 1975, 195 p.
À la piste de nos ancêtres au Canada, Archives publiques du Canada, Ottawa, 1968, 22 p.

C) *Inventaires des archives du Québec*

Ministère des affaires culturelles, *L'État général des archives publiques et privées du Québec*, M.A.C. Québec, 1968, 312 p.
État sommaire des archives nationales à Montréal, 1973, 29 p.

6. OUVRAGES GÉNÉALOGIQUES CONCERNANT LES ACADIENS

Arsenault, Bona, *Histoire et généalogie des Acadiens*, Québec 1965, 2 vols.
Histoire et généalogie des Acadiens, Léméac, 1978, 6 vols.

Gallant, Patrice, *Les Acadiens de Saint-Pierre et Miquelon à La Rochelle, 1767–1768 et 1778–1785*, Éd. Stephen White, Moncton, 1977.

Gaudet, Placide, *Généalogie des familles acadiennes avec documents*, in Rapport concernant les Archives canadiennes 1905, Vol. II, Appendice A, 3e partie, 438 p.

Jehn, Janet, *Acadian Descendants*, Library of Congress, 1972–1975, 2 vols.

Poirier, Pascal, *Les origines des Acadiens*, in Revue canadienne 11, 1874, p. 850–876 et 927–954.

Robichaux, Albert J. Jr, *Acadian mariages in France*, department of Ille-et-Villaine 1759–1776, chez l'auteur, 1976.

II – *SOURCES MANUSCRITES*

Ouvrages relatifs à des sources manuscrites concernant

A) L'état civil

a) La réglementation

Bouchard, Gérard et Larose, André, *La réglementation du contenu des actes de baptême, mariage, sépulture au Québec, des origines à nos jours*, in Revue d'histoire de l'Amérique Française, Vol. 30, no 1, 1976, p. 67 à 84.

Bulletin de recherches historiques, *Nos registres de l'état civil*, ordonnance de Louis XIV, Vol. 39, p. 304.
Règlement du conseil supérieur des registres tenus par les curés pour le baptême etc., juin 1727, Vol. 39, p. 415.
Les registres de l'état civil, Vol. 39, p. 247.

Plinquet, Vincent, *Nos archives paroissiales*, in Bulletin de recherches historiques, Vol. 4, p. 252.

b) Le contenu

Ce que l'on trouve dans les registres de l'état civil, Vol. 32, p. 210, 220.

c) Certains registres particuliers

FERLAND, J.B.A., *Notes sur les registres de Notre-Dame de Québec*, Québec, 1863, 100 p.

LANGEVIN, Jean, *Notes sur les archives de Notre-Dame de Beauport*, Québec, 1860, 260 p.

B) Les archives officielles

a) Documents généraux

ROY, Pierre-Georges, *Ordonnances, commissions, etc... des gouverneurs et intendants de la Nouvelle-France, 1639–1706*, l'Éclaireur, Beauceville 1924, 2 vols.

Inventaire des ordonnances des intendants de la Nouvelle-France conservées aux archives provinciales de Québec, L'Éclaireur, Beauceville, 1919, 4 vols.

Inventaire des procès-verbaux des grands voyers conservés aux archives de la province de Québec, L'Éclaireur, Beauceville, 1923, 6 vols.

Inventaire des concessions en fief et seigneurie fois et hommages et aveux et dénombrements conservés aux archives de la province de Québec, L'Éclaireur, Beauceville, 1927–29, 6 vols.

Lettres de noblesse, généalogies, érections de comtés et baronnies insinuées par le conseil souverain de la Nouvelle-France, L'Éclaireur, Beauceville, 1920, 2 vols.

b) Documents

Voir la bibliographie sur la vie des ancêtres.

C) Les archives des collectivités locales

a) Actes notariés

ARCHIVES NATIONALES DU QUÉBEC, *Inventaire des greffes des notaires du régime français*, Québec, 1942–1976, 27 vols.

LALIBERTÉ, J.M., *Index des greffes des notaires décédés (1645–1948)*, Éd. Pontbriand, Québec, 1967, 219 p.

MARTEL, Jules, *Index des actes notariés du régime français à Trois-Rivières 1634–1760*, Université du Québec à Trois-Rivières, 875 p.

ROY, Pierre-Georges, *Inventaire des contrats de mariage du régime français conservés aux archives judiciaires de Québec*, Québec, 1937-38, 6 vols.

Inventaire des testaments, donations et inventaires du régime français conservés aux archives judiciaires de Québec, Québec, 1941, 3 vols.

MASSICOTTE, E.Z., *Les actes des trois premiers tabellions de Montréal, 1648–1657*, La Société Royale du Canada, 1915, 16 p.

b) Archives du clergé et des communautés religieuses

Chaque communauté religieuse possède ses propres archives dont l'inventaire est habituellement fait sans être nécessairement publié.

c) Archives des fabriques et municipalités.

Quelques fabriques et municipalités ont versé leurs archives aux archives nationales. Cependant, la majorité des fabriques et municipalités conservent leurs archives et il faut s'adresser directement à la paroisse pour pouvoir en connaître l'inventaire quand il existe.

d) Archives des associations.

D) Les archives privées.

Ce sont les archives des particuliers. Au sujet de ces archives on consultera avec profit les volumes mentionnés sous le titre : Inventaires des archives du Québec.

SIGNES CONVENTIONNELS

Les généalogistes ont l'habitude d'utiliser des sigles et symboles, qui fournissent certaines précisions sans qu'il ne soit besoin de phrases explicatives. Les sigles et symboles codifiés lors du IVe Congrès International sont les suivants:

- **NAISSANCE** .... o
- **BAPTÊME** .... b
- **MARIAGE** x
- **CONTRAT DE MARIAGE** .... Cm
- **DIVORCE** ....) (
- **DÉCÈS** .... +
- **MORT AU CHAMP D'HONNEUR** .... ⚔
- **INHUMATION** .... (+)
- **CITÉ EN**... .... I (et la date)

On peut également signaler la nature du baptême:

- **CATHOLIQUE** .... (bc)
- **PROTESTANT** .... (bp)
- **ANGLICAN** .... (ba)
- **ORTHODOXE** .... (bp)

Les familles israélites remplacent le sigle «b» par le sigle «c» (circoncision).

Les qualités peuvent être abrégées:

- **NOBLE HOMME** .... n.h.
- **ÉCUYER** .... ec
- **CHEVALIER** .... ch.
- **AVANT**.. /...
- **APRÈS** ..../

- **DOUTEUX** .... ?
- **ENVIRON** .... Ca
- **PÈRE** .... P
- **MÈRE** .... M
- **PARRAIN** .... p
  ou (du latin suscipere : présenter le nouveau-né) ss
- **MARRAINE** .... m
- **TERROIR** .... t
- **TESTAMENT** .... test
- **SANS POSTÉRITÉ** .... s.p.
- **SANS ALLIANCE** .... s.a.
- **SANS ALLIANCE ACTUELLE** .... s-a-a
- **SANS ALLIANCE MAIS
  AVEC POSTÉRITÉ RECONNUE** .... s.a.p.r.

Pour faciliter la tâche du généalogiste, l'auteur a préparé une série de 12 fiches pour l'établissement d'une lignée directe, et une autre de 33 fiches pour la réalisation d'un arbre généalogique selon la méthode de classification de Stradonitz. Ces fiches sont présentées dans un cahier de format $8\frac{1}{2} \times 11$, avec reliure à spirale et couverture cartonnée, et comprennent également des pages où peuvent être collées des photographies. Intitulé « Le Coffre aux ancêtres », ce cahier est en vente à la Fédération québécoise du loisir scientifique (1415 est, rue Jarry, Montréal H2E 2Z7, tél.: (514) 374-3541) au prix de trois dollars (frais de poste inclus).

COLLECTION

dirigée par Félix Maltais

De la recherche des ancêtres à la découverte du ciel, de l'observation des oiseaux à l'exploration des cavernes, de la connaissance des champignons à l'étude des roches, les activités ne manquent pas à qui veut mieux connaître son environnement par la pratique de loisirs instructifs et créateurs.

Conçus par des amateurs chevronnés, les volumes de la collection «FAIRE» veulent mettre à la disposition du public le résumé des connaissances et du savoir-faire acquis au fil des ans dans leurs domaines respectifs, et donner à chacun le goût et les moyens de «FAIRE» par lui-même et ce, dans le contexte québécois.

DANS LA COLLECTION FAIRE:

Cherchons nos ancêtres, *par Michel Langlois,* 168 p.

Devenez astronome amateur, *par Jean Vallières,* 244 p.

Achevé d'imprimer à Montmagny
par les travailleurs des ateliers Marquis Ltée
le 5 juin 1980